Voorbereidingshandelingen

Voorbereidingshandelingen

Eelke Sikkema

1e druk

Ars Aequi Libri
Nijmegen 2012

ISBN 978-90-6916-676-6
NUR 824

Omslagontwerp: Janine van Winden

Inhoud

HOOFDSTUK 1
Inleiding

1   Inleiding

Aanvankelijk waren voorbereidingshandelingen in het wetboek van strafrecht slechts bij hoge uitzondering strafbaar gesteld. Het uitgangspunt van de wetgever van 1881 is geweest dat de voorbereidingsfase buiten het bereik van het strafrecht valt.[1] Dit uitgangspunt is verlaten toen in 1994 in art. 46 Sr een algemene strafbaarstelling van de voorbereiding van ernstige misdrijven werd opgenomen.[2] In dit cahier worden de grenzen verkend die dit artikel stelt aan de strafrechtelijke aansprakelijkheid ter zake van voorbereiding. Oorspronkelijk was de reikwijdte van deze strafbaarstelling beperkt tot voorbereidingshandelingen met betrekking tot middelen die *kennelijk* bestemd zijn tot het *in vereniging* begaan van het betreffende misdrijf. Inmiddels zijn echter twee wetswijzigingen gevolgd, waarvan de eerste (in 2002) heeft gezorgd voor het schrappen van het bestanddeel 'in vereniging' uit de wettelijke omschrijving.[3] Als gevolg hiervan is de reikwijdte van art. 46 Sr niet langer beperkt tot *collectief* te plegen misdrijven, maar bevat het een algemene strafbaarstelling van *individuele* voorbereiding van zware misdrijven. Daarmee is dus sprake van een principiële verruiming van de strafrechtelijke aansprakelijkheid.[4] Vervolgens is het artikel in 2007 opnieuw gewijzigd; toen kwam het woord 'kennelijk' te vervallen.[5] Naar aanleiding van deze laatste wijziging is in de literatuur discussie ontstaan over de vraag of deze heeft geleid tot een 'subjectivering' van de strafbaarstelling.[6] In dit cahier zal uitgebreid worden ingegaan op de vraag of deze wetswijziging inderdaad een (verdere) verruiming van de strafbaarheid tot gevolg heeft gehad.[7] Deze vraag hangt nauw samen met de betekenis die moet worden toegekend aan het arrest dat de Hoge Raad heeft gewezen in de strafzaak tegen Samir A.[8] Daarom zal in dit cahier ook ruim aandacht worden besteed aan de (objectieve dan wel subjectieve) wijze waarop in de recente lagere rechtspraak toepassing wordt gegeven aan de in dat arrest geformuleerde criteria.[9]

---

1   M. Rutgers, *Strafbaarstelling van voorbereidingshandelingen*, Arnhem: Gouda Quint 1992, p. 13 en p. 141.
2   Wet van 27 januari 1994, *Stb.* 60, in werking getreden op 1 april 1994. Zie over de totstandkoming van dit artikel verder hoofdstuk 2.
3   Wet van 20 december 2001, *Stb.* 2001, 675, in werking getreden op 1 januari 2002.
4   Zie verder hoofdstuk 3, § 6.
5   Wet van 20 november 2006, *Stb.* 2006, 580, in werking getreden op 1 februari 2007.
6   E. Gritter & E. Sikkema, 'Bestemming onbekend. Strafbare voorbereiding (artikel 46 Sr) en wetsvoorstel 30 164', *DD* 2006, p. 277-302; N. Rozemond, 'De subjectivering van het Nederlandse strafrecht', *NJB* 2007, nr. 36, p. 7 (hierna: Rozemond 2007a. Hier en in het onderstaande heb ik mij gebaseerd op de uitgebreide versie van het artikel, die is te vinden op www.njb.nl, en verwijs ik naar de aldaar gehanteerde paginanummering); E. Gritter & E. Sikkema, 'Subjectivering van het Nederlandse strafrecht?', *NJB* 2008, p. 99-100; K. Rozemond, 'Hoe subjectief is 'daadwerkelijke voorbereiding'? Naschrift', *NJB* 2008, p. 100-101.
7   Zie verder hoofdstuk 3, § 7.
8   HR 20 februari 2007, *LJN* AZ0213 (Samir A.).
9   Zie met name hoofdstuk 3, § 7.7.

Voorafgaand aan de invoering van art. 46 Sr en ook daarna is veel gepubliceerd over het onderwerp voorbereidingshandelingen.[10] Voor zover het publicaties in boekvorm betreft zijn deze inmiddels echter deels verouderd sinds de inwerkingtreding van de hierboven genoemde wetswijzigingen en het standaardarrest inzake Samir A. Dit cahier wil in deze leemte voorzien door een overzicht te geven van de actuele stand van zaken rond de strafbaarstelling van voorbereidingshandelingen. Twintig jaar na de indiening van het wetsvoorstel dat heeft geleid tot de (destijds omstreden) invoering van het huidige art. 46 Sr zal de balans nog eens worden opgemaakt. Mede op basis van de wetswijzigingen van 2002 en 2007 en de (recente) jurisprudentie – en de discussies die daarover in de wetenschappelijke literatuur zijn gevoerd – zal worden onderzocht hoe de strafbaarstelling thans precies moet worden afgebakend. Tevens zal een eigen opvatting worden geformuleerd ten aanzien van de interpretatie die aan art. 46 Sr moet worden gegeven, waarbij de ratio van deze strafbaarstelling (zoals deze de wetgever voor ogen stond) het uitgangspunt vormt.[11] Dit alles zal uitmonden in een pleidooi voor een gematigd objectieve voorbereidingsleer.[12]

Om te beginnen worden in deze inleiding enkele opmerkingen gemaakt over het begrip 'voorbereiding', over het onderscheid tussen collectieve en individuele voorbereiding en over een aantal actuele ontwikkelingen met betrekking tot de strafbaarstellingen in de voorfase. In hoofdstuk 2 wordt – mede om de eerder genoemde ratio te achterhalen – ingegaan op de achtergrond en de totstandkoming van de algemene strafbaarstelling van voorbereidingshandelingen in art. 46 Sr. In hoofdstuk 3 wordt de huidige reikwijdte en inhoud van art. 46 Sr besproken aan de hand van een analyse van de verschillende 'bestanddelen' van dat artikel. In hoofdstuk 4 staat mijn eigen opvatting over de gewenste afbakening van de strafbaarstelling centraal.

2 Het begrip 'voorbereiding'; individuele en collectieve voorbereiding

Wat moeten we in het strafrecht nu verstaan onder de term 'voorbereiding'? Bij de strafbaarstelling van voorbereidingshandelingen in 1994 is bewust afgezien van een 'eigenlijke uitputtende definitie' van de voorbereidingshandeling. Een dergelijke definitie zou alleen leiden tot een casuïstiek die in de wet niet thuis hoort en zou de vrije ontwikkeling van het rechtsbegrip in de rechtspraak meer schaden dan baten, aldus de wetgever.[13] Zoeken naar een uitputtende definitie lijkt de minister 'dorsen van ledig stro'.[14] Rutgers omschrijft een voorbereidingshandeling als een handeling die wordt verricht met de intentie om een bepaald delict te plegen of om aan het plegen van een bepaald delict deel te nemen, zonder

---

10 Zie onder (veel) meer Rutgers 1992; G.P.M.F. Mols & J. Wöretshofer, *Poging en voorbereidingshandelingen*, Nijmegen: Ars Aequi Libri 1993; G.A.M. Strijards, *Strafbare voorbereidingshandelingen*, Zwolle: W.E.J. Tjeenk Willink 1995, p. 68-70; P. Smith, *Strafbare voorbereiding*, dissertatie Groningen, Den Haag: Boom Juridische uitgevers 2003; T. Prakken & D. Roef, 'Strafbare voorbereiding in Nederland: juridische overkill', in: F. Verbruggen e.a., *Voorbereidingshandelingen in het strafrecht*, Nijmegen: Wolf Legal Publishers 2004.
11 De auteur is veel dank verschuldigd aan Erik Gritter. Een belangrijk deel van de inhoud van dit cahier bouwt voort op onze gezamenlijke publicaties en op de discussies die wij in dat verband over het onderwerp hebben gevoerd (zie Gritter & Sikkema 2006; Gritter & Sikkema 2008).
12 Zie hoofdstuk 4, § 4.
13 *Kamerstukken II* 1990/91, 22 268, nr. 3, p. 14.
14 *Kamerstukken II* 1990/91, 22 268, A, p. 9.

dat er reeds sprake is van een begin van uitvoering van het beoogde delict.[15] Dit is een 'negatieve omschrijving': van voorbereiding is sprake zolang er nog geen begin van uitvoering van het delict (en dus een strafbare poging) is.[16] Het is bovendien een ruime omschrijving. Deze omvat immers niet alleen de in art. 46 Sr en art. 10a Opiumwet aangeduide handelingen, maar bijvoorbeeld ook de samenspanning (art. 80 Sr) en de deelneming aan een criminele organisatie (art. 140 Sr). De twee laatstgenoemde figuren kunnen als zelfstandig strafbaar gestelde voorbereidingshandelingen worden beschouwd, nu de aanwezigheid van een overeenkomst of een organisatie hier reeds voldoende is voor strafbaarheid; een begin van uitvoering van het beoogde delict is niet vereist. Het gaat hier om vormen van *collectieve* voorbereiding: de voorbereidingshandeling moet worden gepleegd door minimaal twee personen. Het onderscheid tussen collectieve en individuele voorbereidingshandelingen is onder meer van belang omdat de wetgever voorbereiding waarbij meer dan één persoon betrokken is gevaarlijker en daarmee strafwaardiger acht(te) dan de voorbereiding door één individu. De ontwerpers van het wetboek hebben destijds bewust gekozen voor een strafbaarstelling van samenspanning tot misdrijven tegen de veiligheid van de staat. De voorbereiding door één persoon werd, in vergelijking met de collectieve voorbereiding, onvoldoende gevaarlijk geacht om een strafbaarstelling te rechtvaardigen: 'in de afspraak, de overeenstemming ligt het gevaar'. Ook in het geval van art. 140 Sr is sprake van een inbreuk op het eerder genoemde uitgangspunt van de wetgever van 1881, dat voorbereidingshandelingen buiten het bereik van het strafrecht vallen. Volgens Rutgers zal ook aan deze inbreuk de gedachte ten grondslag liggen dat collectieve voorbereiding gevaarlijker is voor de door de wet beschermde rechtsgoederen dan de individuele voorbereiding.[17]

3 Van collectief naar individueel

De principiële keuze van de wetgever van 1881 om individuele voorbereiding (van misdrijven tegen de veiligheid van de staat) niet strafbaar te achten, heeft niet lang standgehouden. De Anti-revolutiewet van 1920 heeft er voor gezorgd dat in een nieuw tweede lid van art. 96 Sr ook de individuele voorbereiding van de in het eerste lid genoemde misdrijven strafbaar is gesteld.[18] De wet van 1920 kan aldus worden gezien als een eerste stap in de richting van het loslaten van de principiële beperking van de strafbaarheid tot collectieve voorbereidingshandelingen.[19]
Een volgende stap in de criminalisering van de voorbereidingsfase is de invoering van art. 134bis (oud) Sr in 1924, betreffende de poging tot uitlokking en doen plegen (zie thans art. 46a Sr). Daarmee is het accessoriteitsvereiste wat deze deelnemingsvormen betreft losgelaten, zodat de reikwijdte niet langer beperkt is tot uitvoeringshandelingen. In 1951 zet deze ontwikkeling zich voort in de vorm van de invoering van art. 98a lid 3 Sr, dat

---

15 Rutgers 1992, p. 18.
16 Vgl. F. Verbruggen, 'Strafbare voorbereidingshandelingen in België: een autopsie zonder lijk', in: F. Verbruggen e.a., *Voorbereidingshandelingen in het strafrecht*, Nijmegen: Wolf Legal Publishers 2004, p. 38.
17 Rutgers 1992, p. 115-155.
18 Rutgers 1992, p. 182-189. Ook in het toen ingevoerde art. 97a (oud) Sr werden voorbereidingshandelingen opgenomen (zie thans de artt. 97a en 97b Sr).
19 Mols & Wöretshofer (1993, p. 55-56) gaan er kennelijk ten onrechte van uit dat de individuele voorbereidingshandeling (ter bescherming van de staatsveiligheid) al sinds 1881 in het wetboek voorkomt.

betrekking heeft op 'handelingen gepleegd ter voorbereiding' van (kort gezegd) schending van staatsgeheimen. Als uitvloeisel van de Wet Oorlogsstrafrecht (1952) wordt een tweede lid aan art. 97 Sr toegevoegd, inzake handelingen gepleegd ter voorbereiding van (kort gezegd) het verlenen van hulp aan een potentieel vijandelijke mogendheid. Tegelijkertijd wordt in art. 122 lid 2 Sr bepaald dat art. 96 lid 2 Sr van overeenkomstige toepassing is als het gaat om het uiteenjagen van de Staten-Generaal. Uit het voorgaande blijkt dat de straf- baarheid van (individuele) voorbereidingshandelingen in de loop der jaren steeds verder is uitgebreid. De opvatting van de ontwerpers van het wetboek dat de veiligheid van de staat afdoende wordt beschermd door de strafbaarstelling van collectieve voorbereidingshande- lingen wordt dus gaandeweg verlaten.[20]

Sinds de jaren zeventig van de twintigste eeuw is er weer sprake van een toenemende be- langstelling voor het strafbaar stellen van voorbereidingshandelingen, onder meer als ge- volg van een aantal gewelddadige politieke ('terroristische') acties in Nederland. In verband daarmee is door de regering destijds overwogen om de strafbaarheid van samenspanning uit te breiden tot 'terroristische activiteiten'. Het aangekondigde wetsontwerp is echter nooit bij de Tweede Kamer ingediend, waarschijnlijk mede doordat de politieke aandacht inmiddels is verlegd naar de handel in verdovende middelen. Een strafbaarstelling van voorbereidingshandelingen in de Opiumwet wordt in de jaren vijftig en zestig van de twintigste eeuw nog door de wetgever afgewezen, omdat dit in strijd zou komen met een 'grondbeginsel' van het Nederlandse strafrecht: de algemene regel dat van een strafbaar feit slechts sprake kan zijn wanneer het voornemen van de dader zich door een begin van uitvoering heeft geopenbaard (art. 45 Sr).[21] In 1983 wordt desondanks een wetsontwerp ingediend, waarin wordt voorgesteld om het huidige art. 10a Opiumwet in te voeren.[22] Er is niet gekozen voor een uitbreiding van de samenspanning; art. 10a Opiumwet vereist een concrete gedraging en heeft dus een minder grote reikwijdte, hetgeen de rechtszekerheid van de burger ten goede zou komen. Door de minister van justitie wordt benadrukt dat het niet in de bedoeling ligt de strafbaarstelling van voorbereidingshandelingen uit te breiden tot andere misdrijven; het moet hier gaan om een 'eenmalige exercitie'.[23]
Naar aanleiding van de maatschappelijke verontrusting over de georganiseerde misdaad komt er echter al snel een discussie op gang over een mogelijke strafbaarstelling van samen- spanning tot of voorbereiding van bijvoorbeeld overvallen op banken en waardetranspor- ten. Dit heeft er uiteindelijk toe geleid dat in 1994 de algemene strafbaarstelling van voor- bereidingshandelingen (art. 46 Sr) is ingevoerd. Eerder werd al opgemerkt dat het artikel de laatste jaren twee belangrijke wetswijzigingen heeft ondergaan, namelijk het schrappen van de onderdelen 'in vereniging' en 'kennelijk'. De bedoelde wijzigingen kunnen worden gezien als een uitvloeisel van het feit dat de maatschappelijke en politieke belangstelling

---

20 Rutgers 1992, p. 189-194. Hier wordt verder buiten beschouwing gelaten dat de wetgever van 1881 in het
     kader van de valsheidsmisdrijven wél reeds een aantal vormen van (individuele) voorbereiding strafbaar heeft
     gesteld (artt. 214, 223 en 234 Sr). Deze artikelen spreken over het vervaardigen, ontvangen, zich verschaffen,
     verkopen, overdragen of voorhanden hebben van stoffen, voorwerpen of gegevens waarvan de dader weet dat
     zij bestemd zijn tot (kort gezegd) het plegen van bepaalde valsheidsmisdrijven. Zie hierover Rutgers 1992, p.
     194 e.v.
21 Rutgers 1992, p. 23-39.
22 *Kamerstukken II* 1983/83, 17 975, nr. 2. Dit heeft geleid tot de Wet van 4 september 1985, *Stb.* 495.
23 Rutgers 1992, p. 23-39.

opnieuw is verschoven, dit keer naar het terrein van de terrorismebestrijding. Als gevolg van het vervallen van het bestanddeel 'in vereniging' is de reikwijdte van art. 46 Sr zoals gezegd niet langer beperkt tot collectief te plegen misdrijven, maar bevat het een *algemene* strafbaarstelling van *individuele* voorbereiding van zware misdrijven. Het oorspronkelijke uitgangspunt van de wetgever dat individuele voorbereiding buiten het bereik van het strafrecht behoort te blijven, is daarmee definitief op de achtergrond geraakt.

4 Actuele ontwikkelingen

Op deze plaats moet tot slot worden gewezen op enkele actuele ontwikkelingen met betrekking tot de strafbaarstellingen in de voorbereidingsfase.[24] In de eerste plaats is de reikwijdte van de samenspanningsregeling in 2004 aanzienlijk verruimd door de Wet terroristische misdrijven.[25] De strafbaarheid is daarmee uitgebreid tot de samenspanning tot de meest ernstige terroristische misdrijven, namelijk die waarop levenslange gevangenisstraf is gesteld. Daarbij is telkens ook het tweede lid van art. 96 Sr van overeenkomstige toepassing verklaard, zodat de daar omschreven individuele voorbereiding van de bedoelde terroristische misdrijven ook strafbaar is geworden. Eveneens in het kader van de terrorismebestrijding is een nieuw art. 134a Sr ingevoerd, waarin onder meer strafbaar is gesteld het zich of een ander opzettelijk (trachten te) verschaffen van gelegenheid, middelen of inlichtingen tot het plegen, voorbereiden of vergemakkelijken van een terroristisch misdrijf, dan wel het verwerven of bijbrengen van kennis of vaardigheden daartoe.[26] Uit de tekst van de delictsomschrijving blijkt duidelijk dat deze nieuwe strafbaarstelling van voorbereidingshandelingen verwant is aan art. 96 lid 2 (sub 2°) Sr.[27] In de derde plaats kan worden gewezen op de nieuwe strafbaarstelling van 'grooming' in art. 248e Sr.[28] Dit artikel bevat in wezen een bijzondere strafbaarstelling van de (individuele) voorbereiding van ontuchtige handelingen met een minderjarige dan wel het vervaardigen van kinderporno. In de delictsomschrijving is dit omschreven als het (via een geautomatiseerd werk of een communicatiedienst) voorstellen van een ontmoeting met een minderjarige, met het oog op één van de genoemde handelingen. Daarbij geldt als bijkomende voorwaarde voor strafbaarheid dat de dader enige handeling moet hebben ondernomen gericht op het verwezenlijken van die ontmoeting.[29] Anders dan bij andere vormen van voorbereiding is hier dus een *overt act* vereist.[30] In de vierde plaats is als gevolg van de zogenoemde Voetbalwet een nieuw art. 141a Sr ingevoegd.[31] Volgens dit artikel is degene strafbaar die opzettelijk gelegenheid, middelen of inlichtingen verschaft tot het plegen van geweld tegen personen of goederen. De wetgever ziet deze bepaling als een bijzondere strafbaarstelling van voorbereiding; het geweld hoeft

---

24 Zie ook C. Kelk, *Studieboek materieel strafrecht*, Deventer: Kluwer 2010, p. 366-367.
25 Wet van 24 juni 2004, *Stb.* 290.
26 Wet van 12 juni 2009, *Stb.* 245.
27 B.F. Keulen, 'Grenzen aan de strafbare voorbereiding', in: E. Gritter (red.), *Opstellen Materieel Strafrecht*, Nijmegen: Ars Aequi Libri 2009 (hierna: Keulen 2009a), p. 58-60.
28 Wet van 26 november 2009, *Stb.* 544.
29 Zie over dit onderwerp nader R.S.B. Kool, 'Better safe, than sorry? Over de legitimiteit van strafbaarstelling van seksueel corrumperen van minderjarigen en grooming', *DD* 2010, p. 1264-1293, i.h.b. p. 1275-1289.
30 Vgl. C.M. Pelser, 'Samenspanning: over *overt act* en uiterlijke verschijningsvorm', in: M. Boone e.a. (red.), *Discretie in het strafrecht*, Den Haag: Boom Juridische uitgevers 2004, p. 175-194.
31 Wet van 7 juli 2010, *Stb.* 325.

immers niet daadwerkelijk te zijn gepleegd. In zeker opzicht is dit artikel te beschouwen als een aanvulling ten opzichte van art. 46a Sr; het regelt de 'mislukte medeplichtigheid'.[32] De laatste ontwikkeling die hier moet worden gesignaleerd is de indiening in 2011 van het wetsvoorstel tot strafbaarstelling van handelingen ter voorbereiding of vergemakkelijking van illegale hennepteelt. Dit wetsvoorstel voorziet in een nieuw art. 11a Opiumwet, dat onder meer betrekking heeft op het voorhanden hebben van stoffen of voorwerpen, waarvan de dader weet of ernstige reden heeft om te vermoeden dat zij bestemd zijn tot het plegen van de in art. 11 lid 3 en 5 Opiumwet strafbaar gestelde feiten.[33] Bij de redactie van de voorgestelde nieuwe bepaling is aansluiting gezocht bij de terminologie van het bestaande art. 10a Opiumwet (voorbereiding van harddrugsdelicten).[34]

Als men het voorgaande overziet kan met Keulen geconstateerd worden dat het arsenaal van strafbaarstellingen van gedragingen in de voorfase geen rustig bezit is. Dat doet volgens deze auteur de vraag rijzen naar de consistentie van het wettelijk stelsel. Keulen bepleit dan ook een meer algemene heroverweging van de strafrechtelijke aansprakelijkheid in de voorfase, in de vorm van een systematische doordenking van de grenzen van de strafbare voorbereiding en samenspanning.[35]

---

32   Zie B.F. Keulen, 'Over voetbal, voorbereiding en samenspanning', *NJB* 2009 (hierna: Keulen 2009b), p. 1897-1901. Hier en in het onderstaande heb ik mij gebaseerd op de uitgebreide versie van het artikel, die is te vinden op www.njb.nl, en verwijs ik naar de aldaar gehanteerde paginanummering.
33   *Kamerstukken II* 2010/11, 32 842, nr. 2.
34   *Kamerstukken II* 2010/11, 32 842, nr. 3, p. 6-8.
35   Keulen 2009b, p. 1 en p. 7-11. Zie ook Keulen 2009a, p. 69-72.

HOOFDSTUK 2
Achtergrond en totstandkoming van de strafbaarstelling van voorbereidingshandelingen

1 Inleiding

Kort na de introductie van art. 10a Opiumwet in 1985[36] is de discussie over de wenselijkheid en noodzaak van het op grotere schaal strafbaar stellen van voorbereidingshandelingen alweer opgelaaid. Vanaf het midden van de jaren tachtig van de twintigste eeuw ontstaat er in de politiek en de maatschappij namelijk onrust over de (veronderstelde) dreiging van de georganiseerde misdaad. Met name vanuit de politie wordt gepleit voor een uitbreiding van de regeling van de samenspanning of voorbereiding tot bepaalde ernstige misdrijven, in het bijzonder overvallen op banken en waardetransporten. De voorstanders zien een dergelijke strafbaarstelling als een belangrijk middel om gewapende overvallen doelmatig te kunnen bestrijden. Naar aanleiding van de geruchtmakende ontvoering van G.J. Heijn wordt door de minister van justitie voorgesteld om een studie te laten verrichten naar de mogelijkheid voorbereidingshandelingen strafbaar te stellen ten aanzien van bepaalde zeer ernstige strafbare feiten.[37] Daartoe wordt de werkgroep Van Veen ingesteld, die in 1988 een rapport uitbrengt.[38]

2 Het rapport van de werkgroep Van Veen

De werkgroep Van Veen stelt voor voorbereidingshandelingen slechts strafbaar te stellen ten aanzien van enkele *specifieke* misdrijven, te weten moord, gijzeling, afpersing, gekwalificeerde doodslag, zware mishandeling en diefstal met geweld. Een dergelijke strafbaarstelling mag volgens de werkgroep niet *generaal* geschieden; per delict moet worden bekeken of er zwaarwegende en specifieke argumenten zijn voor strafbaarheid. De werkgroep bepleit een beperking tot delicten die een ernstig gevaar voor de rechtsorde vormen, waarbij het leven van mensen op het spel staat en die zonder strafbaarheid van de voorbereidingsfase niet adequaat zouden kunnen worden vervolgd. Verder heeft de werkgroep getracht zoveel mogelijk bij uiterlijke gedragingen aan te knopen, zodat het strafrechtelijke beginsel dat alleen gedragingen (en niet gedachten) strafbaar kunnen worden gesteld, kan worden gehandhaafd.[39] Onder verwijzing naar onder meer de misdrijven tegen de staatsveiligheid en

---

36 Zie daarover hoofdstuk 1, § 3.
37 Overigens bleek het hier achteraf te gaan om een ontvoering en moord gepleegd door één enkele dader, zodat (het oorspronkelijke) art. 46 Sr hier niet toepasselijk zou zijn geweest (zie Mols & Wöretshofer 1993, p. 58). Zie over de zaak Heijn uitgebreid Strijards 1995, p. 68-70.
38 Zie over het rapport nader Mols & Wöretshofer 1993, p. 58-59; Rutgers 1992, p. 40-50; Strijards 1995, p. 70-73.
39 *Rapport van de werkgroep strafbaarstelling van voorbereidingshandelingen*, 's-Gravenhage, 31 oktober 1988 (hierna: Rapport 1988), p. 1-3.

art. 10a Opiumwet wordt gesteld dat het strafbaar stellen van voorbereidingshandelingen
geen ongewone figuur is in het Nederlandse strafrecht.[40]
Het voorstel wordt vooral ingegeven door de behoefte om vroegtijdig effectief justitieel te
kunnen optreden om het plegen van ernstige misdrijven te voorkomen. Gewezen wordt
op het grote aantal 'stukgemaakte' zaken, waarbij de politie de uitvoering van een ernstig
strafbaar feit verhindert. Het gevolg daarvan is in de regel echter slechts dat de misdadigers
een ander object zoeken, zodat de stukgemaakte zaak fungeert als een generale repetitie.
Er worden dan weliswaar misdaden verijdeld, maar zolang er geen verdenking van een
strafbaar feit is staat de politie tot op zekere hoogte machteloos. Arrestatie is immers pas
mogelijk als er van een strafbare poging kan worden gesproken. Het is echter weinig aan-
trekkelijk om het te laten komen tot een begin van uitvoering, wegens de grote risico's voor
alle betrokkenen die daarmee gepaard gaan. Bovendien is de grens tussen de niet strafbare
voorbereidingshandelingen en de strafbare poging volgens de werkgroep in de jurisprudentie niet scherp getrokken, waarbij onder meer wordt gewezen op de Grenswisselkantoor-
zaak.[41] Ook wordt nog opgemerkt dat voorbereidingshandelingen in veel van de ons omringende landen reeds strafbaar zijn.[42]
Een herformulering van het begrip strafbare poging van art. 45 Sr in de rechtspraak, die
ertoe leidt dat voor elk misdrijf de grens van de strafbaarheid naar voren verschuift, is
volgens de werkgroep bijzonder onaantrekkelijk. De grenzen van de strafbaarheid moeten
alleen worden verruimd bij die strafbare feiten waarvoor dat werkelijk noodzakelijk is.[43] Op
principiële gronden wordt verder niet gekozen voor een uitbreiding van de samenspanning.
Strafbaarstelling van voornemens die niet een tastbare vorm hebben gekregen zou een onnodige aantasting betekenen van de grondgedachte van het wetboek, dat het bij strafbare
feiten primair om handelingen of gedragingen moet gaan.[44]
Om redenen van rechtszekerheid is ervoor gekozen de strafbaarstelling zo nauwkeurig mogelijk te omschrijven en te beperken tot handelingen die uiterlijk waarneembaar en tastbaar
zijn. Er wordt gesproken van het aanwezig hebben van voorwerpen (enzovoort) die zijn
'bestemd' voor het plegen van de misdaad. Uit die term vloeit volgens de werkgroep voort
dat het moet gaan om handelingen waarvan *objectief* is vast te stellen dat zij verricht zijn
voor het plegen van het genoemde misdrijf. Het wordt niet aannemelijk geacht dat ver
voor het plegen van het misdrijf kan worden aangetoond dat het zal worden begaan. De
voorbereidingshandelingen zullen dan in het algemeen niet concreet genoeg zijn, want niet

40 Rapport 1988, p. 3.
41 Rapport 1988, p. 4-6. Zie voor de genoemde zaak HR 8 september 1987, *NJ* 1988, 612. Volgens de Hoge
    Raad was er in deze zaak nog geen sprake van een begin van uitvoering. De verdachten zaten in een gestolen
    auto met valse kentekenplaten nabij een grenswisselkantoor te wachten op de komst van een bankemployé;
    zij lieten de motor draaien en hadden een pruik op hun hoofd. In de auto hadden ze onder meer een geladen
    jachtgeweer, handboeien, touw en tape liggen.
42 Rapport 1988, p. 5.
43 Rapport 1988, p. 6-7. Sinds de invoering van art. 45 Sr in 1886 is verschillende keren gepleit voor een rui-
    mere omschrijving van het artikel, zodat ook bepaalde voorbereidingshandelingen er onder zouden vallen. In
    het ontwerp van Cort van der Linden (1900) wordt bijvoorbeeld gesproken van een 'handeling verricht met
    het oogmerk daardoor tot de uitvoering van zijn opzet over te gaan'. De wettelijke regeling van de poging is
    op dit punt sinds 1886 echter nooit gewijzigd. Ook Rutgers heeft opgemerkt dat een belangrijk nadeel van
    een dergelijke constructie is dat de grens van de strafbaarheid dan bij *alle misdrijven* naar voren zou opschui-
    ven, niet alleen bij die (ernstige) misdrijven waar dat werkelijk noodzakelijk wordt geacht. Zie Rutgers 1992,
    p. 55-79.
44 Rapport 1988, p. 6-7.

zijn verricht met het oog op een bepaald misdrijf. De aard van een enkel voorwerp is op zichzelf niet voldoende om van voorbereiding te kunnen spreken, want niet ieder voorwerp dat geschikt is voor het plegen van een misdrijf is per definitie daarvoor bestemd.[45]

3   Wetsvoorstel 22 268[46]

Op 16 september 1991 wordt het wetsvoorstel tot 'Wijziging van het Wetboek van Strafrecht inzake algemene strafbaarstelling van voorbereidingshandelingen' bij de Tweede Kamer ingediend. Volgens het voorgestelde art. 46 Sr is voorbereiding van een misdrijf waarop naar de wettelijke omschrijving een gevangenisstraf van acht jaren of meer is gesteld strafbaar, wanneer de dader opzettelijk voorwerpen, stoffen, gelden of andere betaalmiddelen, informatiedragers, ruimten of vervoermiddelen kennelijk bestemd tot het in vereniging begaan van dat misdrijf verwerft, vervaardigt, invoert, doorvoert, uitvoert of voorhanden heeft.[47]

De memorie van toelichting opent met de stelling dat de zware criminaliteit is toegenomen en dat het karakter van deze criminaliteit is gewijzigd. In navolging van de werkgroep Van Veen wordt betoogd dat door middel van de strafbaarstelling van voorbereidingshandelingen de georganiseerde criminaliteit effectiever zou kunnen worden bestreden. De politie krijgt de bevoegdheid om in een vroeg stadium dwangmiddelen – zoals aanhouding – toe te passen.[48] De term 'verdachte' in de zin van art. 27 Sv krijgt immers een ruimere actieradius, doordat de voorbereiding van een misdrijf met een misdrijf wordt gelijkgesteld (art. 78 Sr). Het voorstel heeft dus mede een *preventief* doel; het beoogt delictsvoltooiing in een eerder stadium te frustreren.[49] Ook wordt opgemerkt dat de ons omringende landen enerzijds een verhoudingsgewijs subjectievere pogingsleer hanteren en anderzijds de voorbereidingshandeling en de samenspanning algemener en verdergaand strafbaar hebben gesteld dan in Nederland het geval is.[50]

De wetgever heeft de algemene strafbaarstelling van voorbereidingshandelingen opgenomen in Titel IV van het algemeen deel van het wetboek. Het voordeel daarvan is volgens de minister dat alle leerstukken en begripsbepalingen die voor de strafbare poging gelden, onverkort kunnen worden geprolongeerd voor de voorbereidingshandelingen. Dat is slechts anders als uit de eigen aard van de voorbereiding het tegendeel moet volgen. Om dit tot uitdrukking te brengen zijn beide onvolkomen delictsvormen in één Titel verenigd en is in art. 46 Sr nauwkeurig de zinsbouw van art. 45 Sr nagevolgd. Als 'leerstukken en begripsbepalingen' die bij de voorbereiding op dezelfde wijze kunnen worden toegepast als bij de poging, noemt de wetgever de vrijwillige terugtred, het opzetvereiste, de onderscheiding tussen absoluut en relatief ondeugdelijk middel en object, deelneming aan voorbereiding

45   Rapport 1988, p. 8. Zie ook Strijards 1995, p. 73-74.
46   Zie hierover ook Rutgers 1992, p. 319-321; Mols & Wöretshofer 1993, p. 59-62; Strijards 1995, p. 74-84.
47   *Kamerstukken II* 1990/91, 22 268, nrs. 1-2.
48   *Kamerstukken II* 1990/91, 22 268, nr. 3, p. 1 e.v., p. 7 e.v. Zie verder § 2.
49   *Kamerstukken II* 1992/93, 22 268, nr. 7, p. 3-8.
50   *Kamerstukken II* 1990/91, 22 268, nr. 3, p. 10.

en deelneming aan poging, de cumulatie van onvolkomen delictsvormen, de leer van de locus delicti en de tijdsbepaling van het delict.[51]

De gekozen formulering van het nieuwe art. 46 Sr is in belangrijke mate geïnspireerd door het voorstel van de werkgroep Van Veen.[52] In een ander opzicht blijkt de regering te hebben gekozen voor een principieel andere benadering dan deze werkgroep, die de strafbaarstelling zoals bekend wilde beperken tot enkele *specifieke* zware delicten. De minister kan zich echter niet vinden in de vrees van de werkgroep dat een *algemene* strafbaarstelling van de voorbereidingshandeling een te vergaande en zelfs onnodige inbreuk zou betekenen op de grondgedachte van ons wetboek, namelijk dat het bij strafbare feiten niet primair om planning maar om *handelingen of gedragingen* moet gaan. Indien in de strafbepaling nauwkeurig wordt voorzien in een aantal objectieve en objectiveerbare bestanddelen, blijft de strafbaarheid beperkt en is geen sprake van een systeembreuk met de geldende algemene strafbaarheidsleer: 'Het grondidee dat het strafrecht slechts reageert tegen uiterlijke handelingen en alszodanig ultimum remedium is wordt niet aangetast'.[53]

> 'Het gedachtengoed als zodanig is strafrechtelijk vrij. Cogitationis poenam nemo patitur (letterlijk: voor denken kan niemand aan bestraffing bloot gesteld worden). Fuers Denken kann man Keinen henken. (...) Slechts de op een bepaalde tijd en plaats verrichte gedraging met bijbehorende omstandigheden, te rubriceren onder een wettelijke delictsomschrijving, dient onderwerp te zijn van strafrechtelijke interventie'.[54]

Deze gedraging moet volgens de minister tegenwoordig niet meer worden gedefinieerd als een 'gewilde spierkrachtelijke beweging', die zintuiglijk waarneembaar en tastbaar is. Wel moet er bij de aansprakelijke sprake zijn van een *uiterlijk kenbare* opstelling, die het redelijk maakt een bepaalde 'door de wet geïncrimineerde toestand' aan hem toe te rekenen. De minister wijst onder meer op het functioneel daderschap en op de strafrechtelijke aansprakelijkheid van de rechtspersoon. 'Dergelijke vormen van strafbaarheid tasten de vrijheid van het gedachtengoed niet aan, al ligt de grond van de strafrechtelijke reactie op de keper beschouwd veeleer in de innerlijke opstelling van de dader dan in zijn lichamelijkheid'.[55] In de lijn van deze ontwikkeling is het uitgangspunt van de wetgever van 1881 dat de voorbereidingsfase slechts bij hoge uitzondering strafbaar dient te zijn, volgens de minister gaandeweg losgelaten. Gewezen wordt op het grote aantal misdrijven waarbij het verrichten van voorbereidingshandelingen reeds strafbaar is, zoals de misdrijven tegen de staatsveiligheid, bepaalde valsheidsmisdrijven, art. 134bis (oud) Sr, art. 140 Sr en art. 10a Opiumwet. De minister memoreert dat in de wetsgeschiedenis van het laatstgenoemde artikel is opgemerkt dat het strafbaar stellen van voorbereidingshandelingen geen ongewone figuur is in het strafrecht.[56] Het is niet de bedoeling om de strafrechtelijke aansprakelijkheidsleer,

---

51 *Kamerstukken II* 1990/91, 22 268, nr. 3, p. 13. Zie over de leer aangaande de locus delicti en de tempus delicti nader Strijards 1995, p. 23-24.
52 Keulen 2009b, p. 1897-1901.
53 *Kamerstukken II* 1990/91, 22 268, nr. 3, p. 3.
54 *Kamerstukken II* 1990/91, 22 268, nr. 3, p. 5.
55 *Kamerstukken II* 1990/91, 22 268, nr. 3, p. 5.
56 *Kamerstukken II* 1990/91, 22 268, nr. 3, p. 5-7.

ten grondslag liggend aan het wetboek, integraal te herzien.[57] Door een aantal drempels (objectieve bestanddelen) in te bouwen in het wetsvoorstel blijft de aansprakelijkheid in de voorbereidingsfase beperkt en wordt belet dat het systeem afzakt naar 'bestraffing van ideeën'.[58] De minister wil zeker niet pleiten voor een intentiestrafrecht. Slechts een gevaarlijke intentie die kenbaar is aan de in de voorgestelde delictsomschrijving opgenomen objectieve bestanddelen moet een rechtsgrond voor bestraffing kunnen opleveren.[59] Ook tijdens de mondelinge behandeling in de Tweede Kamer blijkt er brede overeenstemming te bestaan over het feit dat het voorstel voldoende objectieve vereisten bevat om uit te sluiten dat het strafrecht verwordt tot een 'Gesinnungsstrafrecht'.[60] Vanuit de Eerste Kamer wordt de vraag gesteld of het voorstel niet kan leiden tot de bestraffing van een enkele intentie die in geen enkel opzicht blijkt in handelingen die op zichzelf wederrechtelijk zijn. Volgens de minister is een dergelijke aansprakelijkheid uitgesloten:

> 'Aan de voorbereidingsmiddelen en de handeling moet duidelijk kenbaar zijn (...) dat de dader van plan was (...) een misdrijf te begaan. Er is dus sprake van een wederrechtelijke handeling'.[61]

4 De ratio van de strafbaarstelling van art. 46 Sr

Op 1 april 1994 treedt het nieuwe art. 46 Sr in werking.[62] In de eerste plaats heeft deze wetswijziging uiteraard tot gevolg dat de strafbaarheid eerder intreedt; er hoeft immers geen sprake meer te zijn van een voltooid delict of van een begin van uitvoering (strafbare poging). De door de Hoge Raad gehanteerde (objectieve) uitleg van de poging heeft er – in de woorden van Mols en Wöretshofer – in het verleden wel eens toe geleid dat 'menigeen de wenkbrauwen heeft gefronst'. Daarbij kan met name worden gedacht aan de Grenswissel-kantoor-zaak.[63] De feiten uit de Grenswisselkantoor-beschikking leveren thans een typisch standaardvoorbeeld op van voorbereidingshandelingen waarvoor de strafbaarstelling van art. 46 Sr is bedoeld.[64] In de tweede plaats is van belang dat de strafbaarheid beperkt is tot misdrijven die 'in vereniging' worden begaan. Het gaat dus primair om het bestrijden van georganiseerde criminaliteit.[65] In de derde plaats worden de strafvorderlijke voordelen als belangrijke of wellicht zelfs belangrijkste reden genoemd waarom voorbereidingshandelingen strafbaar zouden moeten zijn. Het gaat dan met name om de behoefte de opsporing

---

57 *Kamerstukken II* 1990/91, 22 268, A, p. 4.
58 *Kamerstukken II* 1991/92, 22 268, nr. 5, p. 24. Zie ook *Kamerstukken II* 1992/93, 22 268, nr. 6, p. 1 en *Kamerstukken II* 1992/93, 22 268, nr. 7, p. 18 (het strafrecht mag geen idee-strafrecht worden).
59 *Kamerstukken II* 1992/93, 22 268, nr. 7, p. 12.
60 *Handelingen II* 1992/93, 91; zie bijv. p. 6811-6813 en p. 6826. Alleen de fractie van Groen Links lijkt van oordeel te zijn dat het wetsvoorstel een gedachte, intentie of gezindheid op zichzelf strafbaar stelt. De minister meent dat het een karikatuur van het wetsvoorstel is, wanneer men zegt dat de gedachte strafbaar wordt gesteld; als eis voor strafbaarheid wordt immers gesteld 'de aanwezigheid van materiële, zichtbare, waarneembare kenmerken waaruit het voorbereiden van een delict blijkt' (*Handelingen II* 1992/93, 91, p. 6824).
61 *Kamerstukken I* 1993/94, 22 268, nr. 124a, p. 1.
62 Wet van 27 januari 1994, *Stb.* 60, in werking getreden op 1 april 1994.
63 HR 8 september 1987, *NJ* 1988, 612. Zie *Kamerstukken II* 1990/91, 22 268, nr. 3, p. 7. Zie ook § 2.
64 K. Rozemond, *De methode van het materiële strafrecht*, Nijmegen: Ars Aequi Libri 2011, p. 137.
65 Mols & Wöretshofer 1993, p. 62-63.

naar voren te halen. Wie eerder strafbaar is, is eerder verdachte en kan ook eerder tot object van opsporingshandelingen worden gemaakt.[66]

Met het bovenstaande is echter nog niet de vraag beantwoord *waarom* een dergelijke verruiming van de strafrechtelijke aansprakelijkheid en van de strafvorderlijke bevoegdheden ter zake van georganiseerde criminaliteit *gerechtvaardigd* zou zijn. In het advies van de Raad van State over het wetsvoorstel wordt de vraag opgeworpen waarom wordt overgegaan tot strafbaarstelling van de voorbereiding van *alle* misdrijven waarop een gevangenisstraf van acht jaar of meer is gesteld, terwijl de georganiseerde misdaad zich richt op een beperkte categorie (winstgevende) misdrijven. De minister merkt daarover onder meer het volgende op:

> 'Het is de *gevaarzetting* voor de samenleving, die de voorbereidingshandeling haar bijzonder wederrechtelijkheidsaspect verleent die de strafbaarheid rechtvaardigt (...). (...) Ik acht het thans een (...) juist beginsel van criminele politiek om de strafbaarheid van de voorbereidingshandelingen abstract afhankelijk te stellen van de ontoelaatbare *gevaarzetting* die van de voltooiing van het voornemen van de voorbereider (...) uitgaat (...). Juist daarom heb ik aangeknoopt bij de wettelijke strafbedreiging van een gevangenisstraf van acht jaren of meer: een dergelijke strafpositie treffen we alleen aan bij delicten die de samenleving in ernstige mate schokken of het rechtsverkeer op aanmerkelijke wijze verstoren' (mijn cursivering, ES).[67]

In verband met de beperking dat het beoogde misdrijf in vereniging moet zijn begaan, stelt de minister dat van een eenmansactie niet voldoende *gevaarzetting* uitgaat om strafrechtelijk ingrijpen in de voorfase te legitimeren. Juist aan in georganiseerd verband te verrichten gedragingen, gericht op het schenden van voor onze samenleving wezenlijke rechtsbelangen, kan een *objectief gevaarzettend karakter* niet worden ontzegd.[68] In sommige gevallen kan weliswaar reeds strafrechtelijk worden opgetreden in verband met bijvoorbeeld verboden wapenbezit of autodiefstal, maar de minister is van mening dat een dergelijke reactie geen recht doet wedervaren aan de aard van de gevaarzetting die uitgaat van het gedrag van iemand die 'overduidelijk het plan heeft' om een bankoverval te plegen. Het moet gaan om handelingen waarvan een 'aantoonbaar onaanvaardbaar risico voor de algemene rechtsorde' uitgaat en die leiden tot het begaan van misdrijven waarvan 'directe gevaarzetting voor de samenleving' te duchten is.[69]

De minister deelt de mening van de werkgroep Van Veen dat de redactie van art. 45 Sr intact gelaten moet worden, voor zover het gaat om het 'begin van uitvoering'. Het zou op zichzelf denkbaar zijn om de redactie van dit artikel sterk te subjectiveren, in de zin dat de

---

66 Prakken & Roef 2004, p. 246 (zie voor een uitgebreide beschouwing over de processuele consequenties p. 246-268).

67 *Kamerstukken II* 1990/91, 22 268, A, p. 3-4.

68 *Kamerstukken II* 1990/91, 22 268, A, p. 4-5.

69 *Kamerstukken II* 1991/92, 22 268, nr. 5, p. 2-4; ook wordt aldaar gesteld dat 'overduidelijk' sprake moet zijn van voorbereidingsdaden tot krenking van een beperkt aantal rechtsgoederen en dat de overheid moet kunnen ingrijpen als door mensen 'onmiskenbaar' wordt gewerkt in de richting van zeer ernstige misdrijven. Zie ook *Kamerstukken II* 1991/92, 22 268, nr. 5, p. 13 en p. 15, waar gesproken wordt over de 'actuele ontoelaatbare gevaarzetting voor de rechtsorde' die uitgaat van geplande bankovervallen, ontvoeringen, enz. en over een handeling die 'overduidelijk' gericht is tegen een in onze samenleving hooggeschat rechtsgoed.

uitvoering van het voornemen (niet van het grondfeit zelf) beslissend is.[70] Een keuze voor een subjectieve pogingsleer zou echter een verschuiving van de strafrechtelijke aansprakelijkheid meebrengen naar de fase van iedere 'wilsopenbaring' gericht op het begaan van een strafbaar feit. Dat gaat de minister te ver; hij meent dat een *actuele gevaarzetting* voor objectieve rechtsgoederen toch in ieder geval noodzakelijk blijft.[71]

De oplossing moet evenmin gezocht worden in een algemene strafbaarheid van samenspanning:

> 'Het loutere ineengrijpen van de criminele intenties vestigt reeds aansprakelijkheid. Een dergelijke algemene grensverlegging zou de door de Werkgroep Voorbereidingshandelingen geformuleerde grondgedachte van het Wetboek van Strafrecht – niet de planning, maar de daad – inderdaad in gevaar kunnen brengen'.[72]

Uit de hierboven weergegeven wetsgeschiedenis blijkt dat de ratio van de strafbaarstelling van voorbereidingshandelingen in art. 46 Sr moet worden gezocht in het *gevaarzettende* karakter van die handelingen. Het zal in beginsel moeten gaan om situaties waarin een 'direct' ('actueel') gevaar voor een krenking van het betreffende rechtsgoed bestaat. 'Gedragingen die objectief gezien volstrekt onschuldig zijn, zouden buiten de werking van het strafrecht moeten blijven. Het enkele feit dat dergelijke gedragingen worden verricht met een criminele intentie is niet voldoende'.[73] De strafbaarheid zou dus beperkt moeten zijn tot gevallen waarin de mogelijkheid van *objectieve* gevaarzetting reëel is.[74] Dit sluit aan bij het algemene uitgangspunt dat het aangrijpingspunt voor strafrechtelijk ingrijpen niet moet bestaan in een innerlijke criminele intentie, maar in uiterlijk gedrag waaraan een serieus objectief gevaarzettend karakter kan worden toegeschreven.[75] Van bestraffing van een *enkele* intentie, die in geen enkel opzicht blijkt uit handelingen die op zichzelf wederrechtelijk zijn, kan volgens de wetgever uitdrukkelijk geen sprake zijn. Het uitgangspunt dat alleen uiterlijke gedragingen worden gestraft wordt door de strafbaarstelling van voorbereidingshandelingen in de ogen van de wetgever niet aangetast.[76]

5   Kritiek en repliek

De strafbaarstelling van voorbereidingshandelingen in art. 46 Sr is voorafgaand aan en ten tijde van de invoering zeker niet onomstreden. Het rapport van de werkgroep Van Veen en het wetsvoorstel veroorzaken een stroom van kritiek, die zich – net als bij de invoering van art. 10a Opiumwet – met name richt op de spanning met het lex certa-vereiste en het gevaar van een zogenaamd 'Gesinnungsstrafrecht'.

---

70 *Kamerstukken II* 1990/91, 22 268, nr. 3, p. 12.
71 *Kamerstukken II* 1991/92, 22 268, nr. 5, p. 6-7. Zie ook *Kamerstukken II* 1992/93, 22 268, nr. 7, p. 18 (het zou onjuist zijn als iedere openbaring van een misdadige wilsgesteldheid zou vallen onder het bereik van de strafwet).
72 *Kamerstukken II* 1990/91, 22 268, nr. 3, p. 12.
73 Smith 2003, p. 196-197.
74 Strijards 1995, p. 32.
75 Vgl. D.H. de Jong, 'Voorbereidingshandelingen in het algemeen deel: een slag in de lucht', *DD* 1992, p. 39.
76 Zie ook J. de Hullu, *Materieel strafrecht*, Deventer: Kluwer 2009, p. 396.

Vanuit de wetenschap wordt als belangrijkste bezwaar aangevoerd dat het voorhanden hebben van allerlei op zichzelf neutrale, alledaagse voorwerpen (een auto, een keukenmes, een
stuk touw) strafbaar zouden worden, louter op grond van de *intentie* waarmee dit gepaard
gaat. Als het gaat om op zichzelf rechtmatige, althans strafrechtelijk irrelevante gedragingen, zou de criminele intentie nagenoeg het enige substantiële bestanddeel van de delictsomschrijving uitmaken. Daarmee zou de intentie van de dader het uitgangspunt voor
strafrechtelijke aansprakelijkheid worden. Dat zou in strijd zijn met de grondgedachte van
het wetboek, dat het strafrecht slechts reageert op (uiterlijke) handelingen of gedragingen
en daarmee een ultimum remedium is. De introductie van de voorbereiding als algemeen
leerstuk betekent volgens de critici een systeembreuk, nu de wetgever steeds zeer terughoudend is geweest met het formuleren van delictsomschrijvingen waarin de intentie van
doorslaggevende betekenis is. Doordat de bepaling vaag en onduidelijk is, zou bovendien
het *lex certa-beginsel* in het gedrang komen. Verder vragen de critici zich af of de strafbaarstelling van voorbereidingshandelingen wel *noodzakelijk* is naast het reeds bestaande strafrechtelijke instrumentarium. Zo zou art. 140 Sr wellicht afdoende kunnen voorzien in de
behoefte om de georganiseerde misdaad te bestrijden. Bovendien zullen potentiële plegers
vaak kunnen worden vervolgd voor strafbare feiten als verboden wapenbezit, diefstal van
een (vlucht)auto, enzovoort. Een ander kritiekpunt betreft de *strafprocessuele consequenties*
van de invoering van het artikel. Er is voortaan sneller sprake van een verdenking in de zin
van art. 27 Sv, zodat de inzet van strafvorderlijke dwangmiddelen in een eerder stadium is
toegestaan. Deze dwangmiddelen zouden dan niet worden gebruikt om vast te stellen of
een bepaald delict is begaan, maar om na te gaan wat de verdachte van plan is te gaan doen.
Aldus zou het bereik van deze bevoegdheden worden uitgebreid tot proactief optreden
en zou het gevaar kunnen ontstaan dat vaker bewijs nodig is uit minder controleerbare
bronnen. Tot slot worden vraagtekens geplaatst bij de te verwachten *effectiviteit* van de
strafbaarstelling, gelet op het geringe aantal vervolgingen op basis van het vergelijkbare art.
10a Opiumwet.[77]
Ook vanuit de Tweede Kamer wordt de nodige kritiek op het wetsvoorstel geuit. Zo wordt
door de leden van de PvdA-fractie naar voren gebracht dat de politie veel meer proactieve
activiteiten zal kunnen ontwikkelen, waarbij zeker niet kan worden uitgesloten dat ook
burgers die niets strafbaars in de zin hebben met een onderzoek worden geconfronteerd.
Vanwege de uitputtende opsomming van de voorbereidingsmiddelen – wat valt er met
andere woorden niet onder? – wordt aandacht gevraagd voor het lex certa-beginsel. Ook
vraagt men zich af of het beginsel dat het strafrecht slechts als ultimum remedium wordt
ingezet niet tot een dode letter verwordt. De leden van de fractie van D66 spreken van één
van de meest ingrijpende voorstellen tot wijziging van het Nederlandse materiële strafrecht
in de ruim honderd jaar dat het wetboek bestaat. De fractieleden van Groen Links spreken
hun zorg uit over de verdergaande verschuiving van een daderstrafrecht naar een intentiestrafrecht. De leden van de SGP-fractie zijn van mening dat de innerlijke intentie op
zichzelf geen aangrijpingspunt voor strafrechtelijk optreden mag vormen.[78]

---

77 Zie onder (veel) meer Kelk 2010, p. 362; De Jong 1992, p. 41; Smith 2003, p. 6-7; Rutgers 1992, p. 40-50;
    Mols & Wöretshofer 1993, p. 65-66; J.M. Lintz, *De plaats van de Wet terroristische misdrijven in het materiële
    strafrecht* (diss. Rotterdam), Nijmegen: WLP 2007, p. 191-192.
78 *Kamerstukken II* 1991/92, 22 268, nr. 4.

Door de minister is daarentegen tijdens de parlementaire behandeling uitvoerig betoogd dat van een systeembreuk geen sprake is; het grondidee dat het strafrecht slechts reageert op uiterlijke handelingen en als zodanig ultimum remedium is wordt niet aangetast. De minister wil zeker niet pleiten voor een intentiestrafrecht.[79] Al met al is volgens de minister geen sprake van een fundamentele inbreuk op de uitgangspunten van het Nederlandse materiële strafrecht. Nu de delictsomschrijving een bepaalde gedraging van de voorbereider eist, is het voorstel niet in strijd met het uitgangspunt dat alleen de objectieve gedraging als primaire voorwaarde de strafrechtelijke aansprakelijkheid kan funderen. Aan het lex certagebod is voldaan, aangezien de gedraging in de strafbaarstelling nauwkeurig is omschreven. Zonder het in de wetstekst vereiste opzet zal de aansprakelijkheid niet kunnen intreden, zodat ook aan het schuldbeginsel is voldaan. Aan het uitgangspunt dat het strafrecht ultimum remedium zou dienen te zijn, wordt tegemoet gekomen door het grote aantal objectieve delictsbestanddelen.[80]

Het is onmiskenbaar dat de grenzen van de strafrechtelijke aansprakelijkheid door de invoering van art. 46 Sr in subjectieve richting worden verlegd.[81] De aansprakelijkheid wordt hier volgens Strijards gefundeerd door een gebleken intentie.

> 'Maar ook al wordt een aansprakelijkheid gegrond op een intentie, daarmee is het strafrecht nog niet verworden tot een stelsel dat een 'gezindheid' of 'overtuiging' bestraft. Mits de grenzen van de aansprakelijkheid maar beperkt blijven via objectieve bestanddelen en mits het bij de vaststelling van die intentie om niets anders gaat dan om de inhoud van een op een concrete handeling gericht wilsmoment (...)'.[82]

In deze benadering levert art. 46 Sr geen introductie op van een 'Gesinnungsstrafrecht'. De delictsomschrijving eist immers altijd een gedraging. Het strafrecht wil hier blijven reageren op de daad en het wederrechtelijkheidsgehalte daarvan, ook al is deze alleen maar vaststelbaar in nauwe samenhang met de gebleken intentie van de dader.[83]

6   Wijzigingen van art. 46 Sr na 1994

Mols en Wöretshofer hebben in 1993 opgemerkt dat de introductie van art. 46 Sr de weg opent naar een verdergaande uitbreiding, die op termijn zeker niet mag worden uitgesloten. Het ligt volgens deze auteurs in de lijn der verwachtingen dat er een politiek gunstig moment zal aanbreken waarop ook de voorbereiding van een door een enkeling te plegen delict strafwaardig wordt geacht.[84] Inmiddels is in 2002 inderdaad het bestanddeel 'in vereniging' komen te vervallen, waardoor de reikwijdte niet langer beperkt is tot collectief te plegen misdrijven. Bovendien is in 2007 in het kader van de terrorismewetgeving het

---

79   Zie ook § 3.
80   *Kamerstukken II* 1992/93, 22 268, nr. 7, p. 14-15. In het bijzonder wordt gewezen op de eis dat het voorgenomen feit in vereniging moet worden begaan en de beperking tot misdrijven met een strafmaximum van acht jaren of meer gevangenisstraf.
81   Strijards 1995, p. 14.
82   Strijards 1995, p. 41.
83   Strijards 1995, p. 102-116.
84   Mols & Wöretshofer 1993, p. 65.

woord 'kennelijk' geschrapt uit de delictsomschrijving. Op het eerste gezicht lijkt deze laatste wetswijziging een verdere verruiming van de aansprakelijkheid mee te brengen, waarbij
de enkele subjectieve bestemming (het opzet van de dader) doorslaggevend is geworden.
Dat zou een breuk betekenen met de opvatting van de wetgever van 1994, die de bestraffing van een enkele intentie immers nog uitgesloten achtte. De bedoelde wijzigingen komen in het volgende hoofdstuk uitgebreid aan de orde.[85]

---

85   Zie verder hoofdstuk 3, § 6 en § 7.

HOOFDSTUK 3
Reikwijdte en inhoud van art. 46 Sr

1   Inleiding

In het vorige hoofdstuk zijn enige beschouwingen gewijd aan de aard en achtergrond van de strafbaarstelling van voorbereidingshandelingen in art. 46 Sr. Daarbij is onder meer geconstateerd dat de ratio van deze strafbaarstelling moet worden gezocht in de objectieve gevaarzetting die van deze handelingen uitgaat.[86] Deze ratio is uiteraard van groot belang voor het bepalen van de reikwijdte van de strafbaarstelling en daarmee van de grenzen van de strafbaarheid. In dit hoofdstuk worden de verschillende onderdelen ('bestanddelen') van de geldende wettelijke regeling van art. 46 Sr besproken. In dat verband wordt tevens uitgebreid stilgestaan bij de eerder genoemde wetswijzigingen van 2002 en 2007.[87] In hoofdstuk 4 zal vervolgens – mede aan de hand van de eerder bedoelde ratio – mijn eigen opvatting worden geformuleerd omtrent de bedoelde wetswijzigingen en de wijze waarop de strafrechtelijke aansprakelijkheid thans moet worden afgebakend.

2   Een misdrijf waarop naar de wettelijke omschrijving een gevangenisstraf van acht jaren of meer is gesteld

Anders dan de poging (art. 45 Sr) zijn de voorbereidingshandelingen van art. 46 Sr niet bij ieder misdrijf strafbaar. Vereist is dat de voorbereiding is gericht op 'een misdrijf waarop naar de wettelijke omschrijving een gevangenisstraf van acht jaren of meer is gesteld'.

> 'De wettelijke strafbedreiging is een abstract maar handzaam criterium om het wederrechtelijkheidsgehalte van de geïncrimineerde gedraging aan te geven. Met de genoemde maatstaf is een welomlijnde verzameling delicten aangegeven, *waarvan directe, ontoelaatbaar acute gevaarzetting voor de samenleving te duchten is*' (mijn cursivering, ES).[88]

Het criterium sluit aan bij de betekenis van het begrip 'zware criminaliteit' in het spraakgebruik. Als aan het criterium is voldaan gaat het om een 'rechtsgoedschending die een ernstige verstoring oplevert voor de publieke rechtsorde'.[89] Strijards spreekt van een rechtspolitieke beperking van de aansprakelijkheid, die niet van principiële aard is. De wetgever heeft de strafbaarheid in de voorbereidingsfase willen beperken tot de meer ernstige vormen van criminaliteit; het wettelijke strafmaximum is op zichzelf een goede maatstaf voor die ernst. In een dergelijke afbakening zit uiteraard iets arbitrairs: '(...) [W]aarom nu acht jaar, waarom niet vier of zes jaar?' Het voordeel van deze constructie is echter dat de rechter zich niet in elk concreet geval hoeft af te vragen of de mate van gevaarzetting of de aard van het bedreigde rechtsgoed aansprakelijkheid rechtvaardigt.[90]

---

86   Zie hoofdstuk 2, § 4.
87   Zie hoofdstuk 2, § 6.
88   *Kamerstukken II* 1990/91, 22 268, nr. 3, p. 14. Zie ook Smith 2003, p. 39.
89   *Kamerstukken II* 1991/92, 22 268, nr. 5, p. 11.
90   Strijards 1995, p. 18-19.

In dat opzicht verdient het acht-jarencriterium de voorkeur boven een maatstaf als de 'ernstige inbreuk op de rechtsorde', die men bij verschillende opsporingsbevoegdheden uit het wetboek van strafvordering aantreft.[91] Het criterium is hypothetisch in de zin dat het gaat om het strafmaximum dat zou gelden als het feit zou zijn voltooid. Het voornemen van de dader is in zoverre beslissend.[92]

De wetgever spreekt zelf van een 'niet onaanzienlijke' delictsverzameling.[93] Het acht-jarencriterium brengt inderdaad een groot aantal zeer uiteenlopende delicten binnen de reikwijdte van de strafbare voorbereiding. Het gaat onder meer om een aantal misdrijven tegen de veiligheid van de staat, tegen de koninklijke waardigheid en tegen internationaal beschermde personen; bijna alle terroristische misdrijven;[94] een aantal gemeengevaarlijke misdrijven; (gekwalificeerde) meineed; valsemunterij; een aantal zedendelicten; een aantal misdrijven tegen het leven gericht; een aantal vermogensdelicten en een ambtsmisdrijf.[95] Aldus is volgens de wetgever sprake van een 'apert verschil' met de aanpak van de werkgroep Van Veen.[96] Het gaat hier immers zeker niet alleen om bepaalde delicten die (middellijk of onmiddellijk) gericht zijn tegen de integriteit van het menselijk leven of de onschendbaarheid van het fysieke lichaam. Wel worden door dit criterium alle economische delicten – en bijna de gehele bijzondere strafwetgeving[97] – buiten de actieradius van de strafbare voorbereiding gehouden. Mocht deze verzameling delicten alsnog te beperkt blijken te zijn, dan moet de wettelijke strafpositie volgens de wetgever per delictsomschrijving afzonderlijk worden opgetrokken tot de vereiste acht jaren.[98]

3   Opzettelijk

3.1   Algemeen; voorwaardelijk opzet of oogmerk?

De voorbereidingshandelingen dienen opzettelijk te worden verricht. Het woord 'opzettelijk' is in art. 46 Sr zo ver mogelijk vooraan geplaatst, zodat alle daarna geplaatste bestanddelen van de omschrijving erdoor worden beheerst.[99] Dat betekent in de eerste plaats dat de met de middelen verrichte gedragingen opzettelijk moeten zijn verricht. In de tweede plaats dient de dader opzet te hebben op de (kennelijke) bestemming van de middelen tot

---

91 Zie bijv. 126h Sv, art. 126l Sv en art. 126m Sv. Vgl. ook de woorden 'indien (...) de rechtsorde ernstig door dat feit is geschokt' in art. 67a lid 2 onder 1° Sv (de gronden voor voorlopige hechtenis).
92 Strijards 1995, p. 99.
93 *Kamerstukken II* 1990/91, 22 268, nr. 3, p. 14.
94 Lintz 2007, p. 190.
95 Zie voor een overzicht (anno 1995) Strijards 1995, p. 148-163. Zie voor een opsomming ook *Kamerstukken II* 1990/91, 22 268, nr. 3, p. 14.
96 *Kamerstukken II* 1990/91, 22 268, nr. 3, p. 15. Zie hoofdstuk 2, § 2.
97 De Hullu 2009, p. 397.
98 *Kamerstukken II* 1990/91, 22 268, nr. 3, p. 15.
99 *Kamerstukken II* 1990/91, 22 268, nr. 3, p. 15-16.

het begaan van een nader bepaald misdrijf.[100] De dader moet weten op welk feit zijn prepa-ratoire handeling is gericht, zij het dat hij geen opzet behoeft te hebben op de *strafbaarheid* van dat feit (kleurloos opzet).

'Daden, die achteraf blijken voor de feiten van anderen een preparatoire strekking te hebben gehad, terwijl tevoren slechts, wat de voorbereider aangaat, ernstige redenen bestonden om die strekking aan te nemen zullen dus buiten de actieradius van de strafbaarstelling vallen. (...) De dader moet derhalve kennis dragen van het criminele einddoel (...)'.[101]

Het opzetvereiste staat hier gelijk aan het 'voornemen' dat vereist is voor de poging, aldus de memorie van toelichting. Aangezien de 'gangbare opzetleer' ook hier zal gelden, is voor-waardelijk opzet volgens de minister voldoende om de strafrechtelijke aansprakelijkheid in te doen treden.[102] Anderzijds stelt de minister in de memorie van antwoord dat de vereiste schuldvorm zeer zwaar is aangezet in het wetsvoorstel. De dader moet 'kennis dragen' van het criminele doel van zijn handelen en hij moet 'weten' dat zijn daad zal uitmonden in een (in vereniging begaan) misdrijf.[103]

'[N]aarmate strafrechtelijke aansprakelijkheden meer worden verschoven naar een voorfase (...) dienen, uit de aard van de zaak, aan het bewijs dat het OM moet leveren zwaardere eisen te worden gesteld. De rechtsgrond van de aansprakelijkheid wordt onmiskenbaar meer in subjec-tieve richting geschoven dan bij het voltooid delict. (...) [B]ij de onvolkomen delictsvormen (...) [wordt] wat ontbreekt aan objectieve bestanddelen (...) min of meer gecompenseerd (...) door de subjectieve, die daarom ook zwaarder aangezet worden. De delictsfactoren werken hier om zo te zeggen als 'communicerende vaten'. (...) Het *moet* bezwaarlijker zijn om aan te tonen wat de innerlijke gesteldheid van een 'voorbereider' is geweest vergeleken met de bewijseisen die aan het strafbare opzet in het algemeen worden gesteld. De intentie vormt de achtergrond tegen welke het daadwerkelijk verrichte geïnterpreteerd zal moeten worden'.[104]

Door verschillende auteurs is dan ook betoogd dat voorwaardelijk opzet op de criminele bestemming niet voldoende zou (moeten) zijn. Het bereik van het opzet is hier meer 'toe-

---

100 Smith 2003, p. 42. Strijards onderscheidt in dit verband nog een derde 'kennismoment': de dader moet het opzet hebben dat het misdrijf als voltooid hoofdfeit veronderstelt. Ik vraag mij af of dit vereiste inderdaad gesteld kan worden, nu nog niet duidelijk hoeft te zijn welk misdrijf (met welke bestanddelen) precies gepleegd zal worden en op welke wijze. De Hoge Raad eist slechts dat vaststaat op welk soort misdrijf de voorbereidingshandelingen waren gericht, waarbij bijv. ook een alternatieve bewezenverklaring van voorbereiding van afpersing of diefstal met geweld mogelijk is; zie HR 17 september 2002, *NJ* 2002, 626 (Mombakkes) en HR 5 april 2011, *LJN* BO6691. Voorts meen ik dat de vraag buiten beschouwing kan blijven of het opzet zit 'ingeblikt' in de term 'voorbereiding' dan wel in de in de wetstekst aangeduide activiteiten, nu art. 46 Sr immers expliciet het bestanddeel 'opzettelijk' bevat. Vgl. Strijards 1995, p. 51 en p. 144-145.

101 *Kamerstukken II* 1990/91, 22 268, nr. 3, p. 15-16. Zie ook *Kamerstukken II* 1991/92, 22 268, nr. 5, p. 20: de zinsnede 'kennelijk bestemd zijn tot het (in vereniging) begaan van het misdrijf' valt onder het bereik van het opzet. Zie ook Strijards 1995, p. 51; Smith 2003, p. 42.

102 *Kamerstukken II* 1990/91, 22 268, nr. 3, p. 13-16. Zie in deze zin ook *Kamerstukken II* 1992/93, 22 268, nr. 7, p. 14.

103 *Kamerstukken II* 1991/92, 22 268, nr. 5, p. 3.

104 *Kamerstukken II* 1991/92, 22 268, nr. 5, p. 19-20. Zie ook *Kamerstukken II* 1992/93, 22 268, nr. 7, p. 8: de schuldvorm is in art. 46 Sr van grote betekenis voor de strafrechtelijke aansprakelijkheid.

komstgericht' dan bij de poging, omdat het betrekking heeft op iets waaraan de voorbereider zelfs nog geen begin van uitvoering heeft gegeven.[105] Het opzet op het nog te verrichten misdrijf kan worden omschreven als de 'intentie' waarmee de voorbereidingshandelingen zijn verricht. De term 'voorbereiding' impliceert volgens sommigen een oogmerk van de dader. Voorwaardelijk opzet lijkt volgens Smith in dit verband niet toepasbaar. Ten aanzien van de voorbereidende gedragingen zelf kan volgens deze auteur wel met voorwaardelijk opzet worden volstaan.[106] De Hullu stelt dat het opzet door het karakter van de strafbare voorbereiding een eigen betekenis krijgt; het wordt gevormd door een plan, een voornemen. De wet zou daarom misschien beter over 'oogmerk' kunnen spreken.[107]

In 2009 heeft de Hoge Raad echter uitdrukkelijk bepaald dat voorwaardelijk opzet in dit verband toereikend is.[108] In deze zaak was (kort gezegd) bewezen verklaard dat de verdachte ter voorbereiding van zware mishandeling van supporters van ADO Den Haag 'opzettelijk' een aantal voorwerpen voorhanden had gehad. Daarbij ging het onder meer om een routebeschrijving naar het stadion van ADO Den Haag, messen, een jerrycan benzine en één of meer honkbalknuppel(s). In hoger beroep werd namens de verdachte betoogd dat niet bewezen kon worden dat het opzet van de verdachte gericht was op zware mishandeling. In een nadere bewijsoverweging naar aanleiding van dit verweer wijst het hof onder meer op de voorwerpen en wapens die werden aangetroffen in de auto. Verder wist de verdachte dat een aantal personen naar Den Haag wilden gaan met de bedoeling om te gaan vechten met de ADO-supporters. Een groep van ongeveer honderd mannen, onder wie de verdachte, was vervolgens naar Den Haag gereden. De verdachte wist dat er in zijn auto een baksteen, een houten knuppel en twee paraplu's lagen. Bovendien had hij zelf een gummiknuppel in zijn auto gelegd en had hij vier tentstokken meegenomen om te gebruiken tegen mensen die hem iets wilden aandoen. Het derde cassatiemiddel keert zich tegen de bewezenverklaring, waarbij onder meer wordt aangevoerd dat niet duidelijk zou zijn op welk misdrijf de voorbereidingshandelingen zouden zijn gericht. Voorwaardelijk opzet zou voor art. 46 Sr onvoldoende zijn. A-G Machielse meent echter dat de verdachte – gelet op de aard van de voorwerpen die de verdachte in zijn auto meevoerde en het feit dat het de bedoeling was wraak te gaan nemen voor eerdere brandstichtingen in het supportershome van Ajax – zich welbewust heeft blootgesteld aan de aanmerkelijke kans dat anderen ernstig mishandeld zouden worden, waarbij dan de bedoelde voorwerpen zouden kunnen worden gebruikt. Voorwaardelijk opzet lijkt de A-G toereikend te zijn. De Hoge Raad wijst op de bewoordingen van art. 46 lid 1 Sr ('opzettelijk') en op de hierboven aangehaalde passage uit de wetsgeschiedenis over de ook hier geldende 'gangbare opzetleer'. De Hoge Raad constateert dat het middel steunt op de opvatting dat voor het bewijs van het bestanddeel 'opzettelijk' uit art. 46 Sr voorwaardelijk opzet niet toereikend is, doch oogmerk moet worden vastgesteld. Die opvatting is volgens de Hoge Raad echter onjuist, gelet op de bewoordingen van het artikel en de daarop betrekking hebbende wetsgeschiedenis.

De in de literatuur verdedigde opvatting dat voorwaardelijk opzet onvoldoende zou zijn is hiermee van tafel. De Hoge Raad lijkt op het eerste gezicht dus geen oog te hebben voor

---

105 Strijards 1995, p. 22 en p. 51.
106 Zie (met verdere verwijzingen) Smith 2003, p. 41-44.
107 De Hullu 2009, p. 404 en p. 418. Zie instemmend Lintz 2007, p. 209.
108 HR 7 juli 2009, *LJN* BH9025, *NJ* 2009, 401 (Bestorming ADO-home I). Zie ook HR 7 juli 2009, *LJN* BH9030 (Bestorming ADO-home II).

andere passages uit de wetsgeschiedenis, waarin het bewijs van het opzet zwaar(der) wordt aangezet. Toch sluit het besproken arrest nog niet zonder meer uit dat aan het bewijs van het *voorwaardelijk* opzet hier zwaardere eisen moeten worden gesteld dan elders.[109] Ook lijkt het mij relevant dat in de zaak van het ADO-home sprake was van (voorgenomen) 'groepsgeweld'. Als het gaat om de vraag wat *anderen* van plan zijn met bepaalde voorwerpen en wapens kan het inderdaad nuttig zijn om de constructie van het voorwaardelijk opzet te hanteren: men neemt bewust de aanmerkelijke kans op de koop toe dat de anderen bijvoorbeeld iemand zwaar lichamelijk letsel zullen toebrengen.[110] Als het gaat om een (voorgenomen) eenmansactie blijft het naar mijn mening geforceerd om te stellen dat de dader de kans aanvaardt dat *hijzelf* – met bepaalde spullen die hij voorhanden heeft – in de toekomst een strafbaar feit zal gaan plegen. In die zin is de opvatting van de wetgever over de toepasbaarheid van voorwaardelijk opzet toch wel in een iets ander licht komen te staan doordat nadien de woorden 'in vereniging' uit art. 46 Sr zijn geschrapt.[111] Voor de wetgever had dit een aanleiding kunnen zijn om de uitbreiding tot individuele voorbereiding (enigszins) te 'compenseren' door middel van een aanscherping van het opzetvereiste tot 'oogmerk'. Nu dat niet is gebeurd valt op het arrest van de Hoge Raad verder weinig af te dingen.

Het opzetvereiste brengt mee dat het voorgenomen misdrijf – net als bij de poging[112] – in principe een doleus misdrijf zal moeten zijn. Voorbereiding van een culpoos delict is dus in beginsel niet strafbaar.[113] Het betreft hier overigens grotendeels een theoretische vraag, gelet op de beperking tot misdrijven met een strafmaximum van minstens acht jaar.[114]

3.2 Bewijs van het opzet
Over het bewijs van het opzet merkt de wetgever op dat de rechter dit in veel gevallen zal kunnen afleiden uit de strekking van de uiterlijk kenbare opstellingen van de verdachte, gelet op de omstandigheden waaronder deze plaatsvinden.[115] Het bestaan van een intentie om (in vereniging) een feit te begaan, zal volgens de wetgever op één of andere manier uit objectieve omstandigheden moeten blijken. De intentie zal objectiveerbaar moeten zijn, zal

---

109 Zie verder § 3.2 en § 3.3.
110 Vgl. de conclusie van A-G Machielse voor HR 7 juli 2009, *LJN* BH9030 (Bestorming ADO-home II), die meent dat de reikwijdte van art. 46 Sr onaanvaardbaar zou worden beperkt als voorwaardelijk opzet niet zou volstaan: 'Van een strafbare voorbereiding kan immers ook sprake zijn wanneer men opzettelijk voorwerpen, bijvoorbeeld wapens, verwerft voor een derde die het achterste van zijn tong niet laat zien maar van wie wel duidelijk is dat hij de wapens zal gebruiken voor een ernstig misdrijf. Als de leverancier de aanmerkelijke kans zou hebben aanvaard dat het door hem geleverde wapen bij een gewapende overval zou worden gebruikt zou deze leverancier zich niet schuldig maken aan een strafbare voorbereiding'.
111 Zie verder § 6.
112 De Hullu 2009, p. 388.
113 Smith 2003, p. 41; *Kamerstukken II* 1990/91, 22 268, nr. 3, p. 15-16; *Kamerstukken II* 1991/92, 22 268, nr. 5, p. 11. Onder omstandigheden acht de wetgever ook voorbereiding tot een pro parte culpoos en pro parte doleus delict denkbaar, namelijk als de culpa slechts betrekking heeft op een buiten de gedraging gelegen bestanddeel (zie bijv. art. 417bis Sr).
114 De Hullu 2009, p. 397. Vgl. opnieuw het in de vorige voetnoot genoemde art. 417bis Sr (schuldheling), waarop een gevangenisstraf van ten hoogste een jaar is gesteld. Vgl. echter ook art. 6 WVW jo. art. 175 lid 3 WVW (gevangenisstraf van ten hoogste negen jaren).
115 *Kamerstukken II* 1990/91, 22 268, nr. 3, p. 16.

'aan de dag' moeten zijn getreden.[116] De dader moet een daad hebben gesteld, waaruit zijn 'wetenschap' afleidbaar is.[117] De bewijspositie is bij voorbereiding niet gemakkelijk. 'Veel hangt af van hetgeen uit objectieve feiten en omstandigheden blijkt aangaande de inhoud van het voornemen van de dader'.[118]

Het opzet kan hier zelden worden afgeleid uit de (nogal neutrale, alledaagse) delictsgedragingen en moet daarom als het ware zelfstandig – uit andere bronnen – worden vastgesteld. Slechts in een beperkt aantal gevallen kan de intentie volgens De Hullu worden afgeleid uit een objectieve, voor buitenstaanders evidente bestemming van de voorbereidingsmiddelen.[119] Zolang de dader nog geen gedragingen heeft verricht die objectief duiden op de gerichtheid op de uitvoering van een bepaald delict, kan zijn opzet moeilijk worden bewezen. Naarmate de voorbereiding verder is gevorderd, zal het gemakkelijker zijn om het opzet aan te tonen. De interpretatie van het opzetvereiste lijkt aldus nauw samen te hangen met de eis van de '(kennelijke) bestemming'. 'Sterker nog, zonder het verrichten van een gedraging met een middel dat kennelijk bestemd is tot het begaan van het voorgenomen misdrijf, zal het opzet van de dader in veel gevallen niet kunnen worden bewezen'. Dat is slechts anders als de verdachte bekent of als er bijvoorbeeld sprake is van (afgeluisterde) gesprekken tussen de verschillende daders.[120]

Bovendien moet de intentie betrekking hebben op een 'bepaald' misdrijf met een zwaar strafmaximum. Er zal op zijn minst een 'enigszins geconcretiseerd plan', in het bijzonder gericht op een bepaald delict, moeten worden vastgesteld.[121] Volgens de Hoge Raad is voor een veroordeling noodzakelijk dat vaststaat op welk soort misdrijf met een strafmaximum van acht jaren of meer de voorbereidingshandelingen waren gericht. In de regel zal een concrete omschrijving van de wijze waarop het voorbereide misdrijf gepleegd zou gaan worden echter niet mogelijk zijn.[122]

3.3 Het Brief in jaszak-arrest

Dat behoorlijk zware eisen worden gesteld aan het bewijs van het opzet, lijkt te worden bevestigd door het Brief in jaszak-arrest.[123] In dit arrest was bewezen verklaard dat de verdachte een handgeschreven brief voorhanden had gehad, waarin onder meer methoden werden beschreven om (de bestuurder van) een geldtransportauto te overvallen. De brief was tijdens een doorzoeking in de woning van de verdachte aangetroffen. Naast informatie over de verschillende manieren en benodigdheden om een overval uit te voeren op een

116 *Kamerstukken II* 1991/92, 22 268, nr. 5, p. 26.
117 *Kamerstukken II* 1991/92, 22 268, nr. 5, p. 3.
118 *Kamerstukken II* 1992/93, 22 268, nr. 7, p. 8.
119 De Hullu 2009, p. 404-405; J. de Hullu, 'Een cumulatie van problematische onderwerpen bij strafbare voorbereiding', in: A.H.E.C. Jordaans e.a. (red.), *Praktisch strafrecht* (Reijntjes-bundel), Nijmegen: WLP 2005, p. 252.
120 Smith 2003, p. 221-224. Uiteraard blijft het dan vervolgens de vraag of ook de (kennelijk) criminele bestemming kan worden bewezen op grond van bijv. de verklaring van de verdachte of de resultaten van evt. telefoontaps; zie verder § 7.
121 De Hullu 2009, p. 405.
122 HR 17 september 2002, *NJ* 2002, 626 (Mombakkes). Voldoende is daarom dat op grond van de tenlastelegging duidelijk is op welk in de strafwet omschreven misdrijf met een strafbedreiging van acht jaren gevangenisstraf of meer de voorbereidingshandelingen waren gericht. Het is niet noodzakelijk dat alle bestanddelen van dat misdrijf in de tenlastelegging worden opgesomd. Zie ook HR 5 april 2011, *LJN* BO6691.
123 HR 17 februari 2004, *NJ* 2004, 400, *LJN* AN9358 (Brief in jaszak). Het arrest staat ook wel bekend als het Handleiding-arrest.

geldtransportauto bevatte de brief gegevens over de werkwijze en de beveiligingssystemen van een geldtransportbedrijf. De verdachte had de brief (verpakt in een blanco, dichtgeplakte envelop) van een medegedetineerde gekregen. Hij had de brief helemaal gelezen, en de brief vervolgens in een zak van zijn winterjas gestopt. De jas werd niet meer door de verdachte gedragen, en de brief had tot de doorzoeking in de jas gezeten. Op basis van deze vaststellingen oordeelt de Hoge Raad als volgt:

> 'In aanmerking genomen dat voor wat betreft het handelen en het *opzet* van de verdachte uit de gebezigde bewijsmiddelen niet meer kan worden afgeleid dan dat de verdachte de desbetreffende brief heeft ontvangen, gelezen en vervolgens gedurende ongeveer twee maanden in zijn bezit heeft gehouden, is de bewezenverklaring niet naar de eis der wet met redenen omkleed. Uit de bewijsmiddelen kan immers niet worden afgeleid dat bedoeld voorhanden hebben strekte ter voorbereiding van enig feit als in de bewezenverklaring bedoeld, *op het begaan waarvan het opzet van de verdachte was gericht*' (mijn cursivering, ES).

Reijntjes stelt in zijn noot onder het arrest dat de Hoge Raad hier een nieuwe bewijsregel formuleert: uit het enkele bezit gedurende twee maanden kan het vereiste opzet niet worden afgeleid. Om tot een bewezenverklaring te kunnen komen zullen – bij een ontkennende verdachte – nadere (voorbereidende) gedragingen moeten worden vastgesteld, die inzicht geven in de bedoelingen van de verdachte (bijvoorbeeld het afleggen van geldauto's). Verder kan worden gedacht aan de wijze van verwerving (bijvoorbeeld of de verdachte daartoe zelf het initiatief nam), het tussentijds gebruik, uitlatingen tegenover derden, enzovoort. Voor het gebruik van recidive lijkt de Hoge Raad echter weinig te voelen, aldus Reijntjes.[124] Prakken en Roef leiden (mede) uit het arrest af dat de intentie moet blijken uit de uiterlijk waarneembare omstandigheden waaronder de handeling wordt verricht. Dat past bij hun uitgangspunt dat de strafrechtelijke aansprakelijkheid moet worden gebaseerd op een uiterlijke gedraging die schadelijk of op zijn minst gevaarzettend is voor de rechtsorde. De gevaarzetting moet blijken uit objectieve factoren.[125] Volgens Rozemond blijkt uit de overwegingen van de Hoge Raad dat het opzet van de verdachte niet alleen moet zijn gericht op het voorhanden hebben van een voorbereidingsmiddel, maar ook op het begaan van een misdrijf dat wordt voorbereid. Er is met andere woorden 'dubbel opzet' vereist.[126] Dat volgt overigens ook reeds uit de wetsgeschiedenis.[127] De Hullu concludeert dat de beoordeling van het opzet van de voorbereider verregaand bepalend lijkt te zijn voor het bereik van de strafbare voorbereiding. De objectieve bestanddelen lijken maar een beperkte zelfstandige betekenis te hebben, zodat de belangrijkste waarborg voor een restrictieve toepassing van art. 46 Sr ligt in een grondige toetsing van de intentie door de rechter.[128]

Men kan zich afvragen of aldus niet te veel nadruk komt te liggen op de subjectieve zijde van de voorbereiding. In de eerste plaats heeft de Hoge Raad inmiddels bepaald dat voorwaardelijk opzet hier volstaat, hetgeen niet onmiddellijk duidt op een erg 'restrictieve toepassing'.[129] In de tweede plaats moet bedacht worden dat het in het hierboven besproken

---

124 Zie over dat laatste punt nader De Hullu 2005, p. 254-259.
125 Prakken & Roef 2004, p. 234-246.
126 Rozemond 2007a, p. 7.
127 Zie § 3.1.
128 De Hullu 2005, p. 251; De Hullu 2009, p. 418.
129 Zie HR 7 juli 2009, *LJN* BH9025, *NJ* 2009, 401 (Bestorming ADO-home) en daarover § 3.1.

arrest ging om een ontkennende verdachte. Het is uiteraard denkbaar dat de verdachte een bekennende verklaring aflegt of dat hij zich over zijn plannen uitlaat in (afgeluisterde) gesprekken met derden. In een dergelijk geval hoeft zijn opzet – anders dan Prakken en Roef suggereren – niet te worden afgeleid uit uiterlijk waarneembare (voorbereidende) gedragingen. Moet die aangetoonde intentie, in combinatie met bijvoorbeeld het voorhanden hebben van een op zichzelf onschuldig voorwerp, dan voldoende worden geacht voor strafbaarheid? Een dergelijke consequentie zou naar mijn mening onverenigbaar zijn met de bedoeling van de wetgever, die aansprakelijkheid immers uitgesloten achtte als de intentie in geen enkel opzicht blijkt uit handelingen die op zichzelf wederrechtelijk zijn.[130] Het opzetvereiste kan kortom niet in alle gevallen waarborgen dat de strafbaarheid beperkt blijft tot situaties waarin sprake is van 'objectieve gevaarzetting', zodat deze beperking elders moet worden gezocht. Verderop in dit hoofdstuk wordt deze problematiek nader besproken, waarbij tevens de vraag aan de orde zal komen of de brief uit het besproken arrest eigenlijk wel 'kennelijk bestemd' was tot het plegen van een overval.[131]

4　De voorbereidingsmiddelen

Om de uitbreiding van de aansprakelijkheid beperkt te houden heeft de wetgever gekozen voor een strikt limitatieve opsomming van de 'voorbereidingsmiddelen' in de wet. Onder 'voorwerpen' worden zelfstandige zaken verstaan die – al dan niet in gezamenlijkheid beschouwd – (kennelijk) dienstig zijn aan een crimineel doel. Het is niet noodzakelijk dat de voorwerpen al een instrumenteel karakter hebben op het moment dat de overheid ingrijpt. Het is mogelijk dat het instrument pas ontstaat na samenvoeging van onderdelen die verspreid zijn over de verschillende daders. Gedacht kan worden aan voorwerpen die gezamenlijk het ontstekingsmechanisme van een bom vormen, of losse spoorbielzen die gezamenlijk een 'ramfunctie' kunnen krijgen.[132] Onder 'stoffen' zullen zaken moeten worden verstaan die niet de zelfstandigheid bezitten waardoor zij als voorwerpen zijn te beschouwen, zoals gassen, vloeistoffen of explosieven in poedervorm.[133] Voorbeelden uit de jurisprudentie zijn chemicaliën, kunstmest, tape en plastic.[134] De term 'informatiedragers' is ontleend aan (het toenmalige) art. 240b Sr.[135] Het kan bijvoorbeeld gaan om een diskette (tegenwoordig: een USB-stick) met computergegevens, maar ook om een vel papier met daarop een plattegrond van een te overvallen object, een handgeschreven brief of een foto.[136] Het vervaardigen of invoeren van 'ruimten' kan van betekenis zijn bij voorgenomen gijzelingsacties. 'Men denke aan het aaneenlassen van een tot verblijf ingerichte container, die aan boord van een vaartuig binnenslands gebracht wordt'.[137] 'Vervoermiddelen' kunnen alle voorwerpen zijn die kunnen dienen voor het transport van goederen of personen.[138]

---

130 Zie hoofdstuk 2, § 3 en § 4.
131 Zie verder § 7.3 en § 7.6.
132 *Kamerstukken II* 1990/91, 22 268, nr. 3, p. 16.
133 Smith 2003, p. 45.
134 C.P.M. Cleiren, M.J.M. Verpalen (red.), *Tekst & Commentaar Strafrecht*, Deventer: Kluwer 2010 (hierna: T & C Sr), art. 46, aant. 4.
135 *Kamerstukken II* 1990/91, 22 268, nr. 3, p. 16.
136 Smith 2003, p. 45; T & C Sr, art. 46, aant. 5.
137 *Kamerstukken II* 1990/91, 22 268, nr. 3, p. 16.
138 Smith 2003, p. 45.

De woorden 'gelden en betaalmiddelen' zijn in 2002 uit de opsomming van art. 46 lid 1 Sr geschrapt. Thans bepaalt het vijfde lid van art. 46 Sr dat onder voorwerpen alle zaken en alle vermogensrechten worden verstaan.[139] Daarmee is buiten twijfel gesteld dat elk vermogensbestanddeel (en niet alleen een 'stoffelijke' zaak) als een voorwerp wordt aangemerkt.[140] Het feit dat de wetstekst ten aanzien van de middelen steeds een meervoud gebruikt, betekent niet dat (bijvoorbeeld) het voorhanden hebben van één voorwerp niet tot strafbare voorbereiding kan leiden. Wel zal het dan vaak moeilijker zijn om de onderliggende intentie te bewijzen.[141] De voorbereidingsmiddelen staan los van de in art. 46 Sr opgesomde voorbereidingshandelingen: het is niet zo dat één van de middelen specifiek hoort bij één van de werkwoorden.[142]

In verband met het lex certa-beginsel heeft de wetgever de voorbereidingsmiddelen in art. 46 Sr specifiek en uitputtend opgegeven.[143] Het is echter de vraag of de omschrijving voldoende concreet is om aan de eisen van dat beginsel te voldoen.[144] Doordat bij de opsomming van de middelen gebruik is gemaakt van algemene termen is de beperkende werking ervan gering. Ieder middel dat zintuiglijk waarneembaar is kan er in principe onder vallen.[145] Het kan gaan om een alledaags voorwerp als een steen, touw, speld, snoer, glasscherf, tafelpoot, tak van een boom of spijker. Deze voorbeelden maken duidelijk dat materieel gezien van een limitatieve opsomming nauwelijks sprake is.[146] Op deze kwestie kom ik in het onderstaande terug, aangezien dezelfde vragen rijzen ten aanzien van de in art. 46 Sr opgesomde gedragingen.

5   De voorbereidingshandelingen

De voorbereidingsgedraging wordt in art. 46 Sr aangeduid via elders in de strafwet reeds gebezigde werkwoorden. De term 'voorhanden hebben' is gekozen om aansluiting te vinden bij de helingsbepalingen. Daar omvat dit begrip ieder feitelijk aanwezig hebben, met welk doel of krachtens welke titel dan ook. Het is niet nodig dat de dader te allen tijde onverwijld over het goed kan beschikken.

> 'Het omvat ook het kunnen beschikken over een goed dat elders is opgeslagen; een directe fysieke beschikkingsmacht is dus niet nodig. Denk aan een spaartegoed op een bank, waarover, blijkens afschrijvingen, beschikt is om voorwerpen te verwerven met een bestemming als in het voorstel bedoeld'.[147]

---

139 Wet van 20 december 2001, *Stb.* 675, in werking getreden op 1 januari 2002. Zie hierover nader Keulen 2009a, p. 46-47.

140 *Kamerstukken II* 2001/02, 28 031, nr. 6, p. 2. Zie voor een uitgebreide bespreking van de voorbereidingsmiddelen Strijards 1995, p. 121-136; T & C Sr, art. 46, aant. 3-7.

141 Strijards 1995, p. 47-49.

142 Strijards 1995, p. 117.

143 *Kamerstukken II* 1991/92, 22 268, nr. 5, p. 4.

144 Zie daarover Strijards 1995, p. 49-51.

145 Smith 2003, p. 44.

146 De Hullu 2005, p. 250-251; De Hullu 2009, p. 400.

147 *Kamerstukken II* 1990/91, 22 268, nr. 3, p. 18.

'Verwerven' omvat alle handelingen die tot gevolg hebben dat iemand de feitelijke zeggenschap krijgt over het voorbereidingsmiddel. Het is niet vereist dat de dader door de verwerving eigenaar wordt of dat een rechtsgeldige zeggenschapsrelatie ontstaat. 'Vervaardigen' omvat alle kunstbewerkingen waardoor iets een voorbereidingsmiddel wordt.[148] Onder vervaardigen kan onder omstandigheden ook 'bewerken' vallen. De minister ziet daarom geen reden om het bewerken hier nog eens apart te noemen.[149] De termen 'invoeren' en 'doorvoeren' duiden op het binnen respectievelijk door het grondgebied van Nederland brengen, terwijl van 'uitvoeren' sprake is als een voorbereidingsmiddel vanuit Nederland naar het buitenland wordt gebracht.[150] De woorden invoeren, doorvoeren en uitvoeren duiden er op dat de strafbaarstelling van voorbereidingshandelingen mede bedoeld is ter bestrijding van de grensoverschrijdende georganiseerde criminaliteit.[151]

Het betreft hier uiteraard een alternatieve reeks; één van de genoemde activiteiten is voldoende om een strafbare voorbereidingshandeling aan te nemen. Het is volgens Strijards niet goed denkbaar dat deze activiteiten begaan zouden kunnen worden door een nalaten, hoewel men zou kunnen twijfelen over het voorhanden hebben. Wel kan functioneel daderschap volgens deze auteur een voldoende grondslag voor toerekening zijn. Ook gaat het volgens hem om handelingen die heel goed door rechtspersonen begaan zouden kunnen worden.[152] Smith heeft op zichzelf terecht opgemerkt dat de aansprakelijkheid langs deze weg niet te ver moet worden verruimd.[153] Als iemand vanuit een leidinggevende positie aan zijn ondergeschikten opdracht geeft tot het 'verwerven' van vuurwapens om daarmee een overval te plegen, zonder dat hij deze wapens 'fysiek' in handen krijgt, lijkt het mij echter onder omstandigheden zeker mogelijk om hem als functioneel dader van deze voorbereidingshandeling aan te merken. Uiteraard zou men in een dergelijke situatie ook aan een deelnemingsvorm als uitlokking of medeplegen kunnen denken.

Ook de beperkende werking van de limitatieve opsomming van de gedragingen lijkt door het gebruik van algemene termen gering. De omschrijving van de strafbare gedragingen blinkt niet uit in bepaaldheid. Zoals Smith treffend opmerkt wordt met de uitgebreide opsomming in wezen slechts gezegd dat de dader 'iets' moet hebben gedaan met 'dingen'.[154] Het gaat om handelingen die door een ieder dagelijks continu worden verricht.[155] De voorbereidingshandelingen hebben dus – net als de voorbereidingsmiddelen – op zichzelf nauwelijks onderscheidend vermogen. Vooral het 'voorhanden hebben' leidt tot een

---

148 Strijards 1995, p. 138-141
149 *Kamerstukken II* 1991/92, 22 268, nr. 5, p. 20.
150 *Kamerstukken II* 1990/91, 22 268, nr. 3, p. 18; Smith 2003, p. 46; Strijards 1995, p. 143.
151 Het lijkt de minister beter om de woorden invoeren, doorvoeren en uitvoeren niet te vervangen door het woord 'vervoeren'. De reden daarvoor is van 'zuiver jurisdictionele aard'. Van onder de Nederlandse jurisdictie vallend vervoer is alleen sprake als het vervoer zich in Nederland voltrekt. Als in een concreet geval toch twijfel mocht bestaan over de vraag of een bepaalde handelwijze nu invoeren, doorvoeren of uitvoeren oplevert, verdient het aanbeveling om zich te bedienen van een subsidiaire, cumulatieve of alternatieve tenlastelegging. Zie *Kamerstukken II* 1991/92, 22 268, nr. 5, p. 21. Zie voor een uitgebreide bespreking van de voorbereidingshandelingen Strijards 1995, p. 137-144; T & C Sr, art. 46, aant. 10-13.
152 Strijards 1995, p. 46-47.
153 Smith 2003, p. 46.
154 Smith 2003, p. 46 en p. 198.
155 Lintz 2007, p. 192 (zie ook p. 195).

erg ruim handelingsbegrip. 'Wie heeft immers geen ruimten, vervoermiddelen en gelden voorhanden?'.[156]

> 'De redactie van art. 46 Sr laat in beginsel de mogelijkheid open dat vrijwel iedere gedraging, verricht ter uitvoering van het voornemen om een misdrijf te begaan, strafbaar is. (...) In beginsel is het dus mogelijk dat strafbaarheid intreedt door het bezit van een onschuldig voorwerp vergezeld van de intentie om dit voorwerp te gebruiken bij het begaan van een zwaar misdrijf'.[157]

Iets anders is dat het intreden van strafbaarheid in een dergelijk geval 'in de praktijk hoogst onwaarschijnlijk' is, aangezien dergelijke prille gedragingen moeilijk zijn op te sporen. Gelet op de ratio achter de strafbaarstelling van voorbereidingshandelingen in art. 46 Sr acht Smith een nadere materieelrechtelijke beperking van de aansprakelijkheid wenselijk. Hij zoekt deze beperking in een restrictieve interpretatie van de bestanddelen 'kennelijk bestemd' en 'opzettelijk'.[158] Volgens De Hullu komt de kern van de aansprakelijkstelling – zeker na het schrappen van het vereiste dat het middel 'kennelijk' bestemd moet zijn tot het begaan van het misdrijf – te liggen bij de intentie die de voorbereider met de middelen heeft.[159] Op de consequenties van het vervallen van de eis van de kennelijke bestemming wordt later in dit hoofdstuk uitvoerig ingegaan.[160]

6   In vereniging

6.1   Plaats en betekenis van 'in vereniging' in art. 46 (oud) Sr

In 2002 werd het toch al niet onomstreden art. 46 Sr nog eens aanmerkelijk verruimd door het vervallen van de woorden 'in vereniging'.[161] Voordat wordt ingegaan op de consequenties van deze wetswijziging, bespreek ik in het onderstaande kort de plaats en betekenis van het bestanddeel 'in vereniging' in art. 46 (oud) Sr. Een analyse van de precieze inhoud en reikwijdte van dit begrip kan hier gelet op de bedoelde wetswijziging achterwege blijven.[162]

De wetgever van 1991 merkt over het vereiste van een verenigd verband het volgende op:

---

156 De Hullu 2005, p. 251.
157 Smith 2003, p. 200-201.
158 Smith 2003, p. 201.
159 De Hullu 2005, p. 251. De Hullu concludeert dat het opzet van de voorbereider verregaand bepalend lijkt te zijn voor het bereik van de strafbare voorbereiding (zie ook § 3.3).
160 Zie § 7.
161 Wet van 20 december 2001, *Stb.* 2001, 675, in werking getreden op 1 januari 2002.
162 Zie daarover Smith 2003, p. 48-49 en p. 224-229. De term omvat alle 'doleuse deelnemingsvormen' en heeft een vergelijkbare inhoud als de begrippen 'verenigde personen' (zie bijv. art. 312 lid 2 Sr) en 'verenigde krachten' (zie het toenmalige art. 141 lid 1 Sr). Culpose samenwerking zal geen grond voor aansprakelijkheid kunnen opleveren. Een volkomen toevallig medewerken tot het wettelijk verboden gevolg is eveneens onvoldoende. De minister benadrukt verder dat deze voorwaarde niet meebrengt dat de voorbereider van het beoogde misdrijf zelf daadwerkelijk bij de uitvoering van het voorbereide misdrijf betrokken moet zijn. Zie *Kamerstukken II* 1990/91, 22 268, nr. 3, p. 17-18.

'Het voorstel beoogt zich niet te richten tegen loutere eenmansacties. Het voorstel maakt deel uit van de bestrijding van *georganiseerde criminaliteit*. Vandaar dat vereist wordt dat het *beoogde misdrijf* wordt begaan in vereniging' (mijn cursivering, ES).[163]

In de voorgestelde constructie wordt het verenigd verband geheel beheerst door het strafbare opzet van de voorbereider en hoeft dit verband objectief niet tot verwezenlijking te zijn gekomen. 'Doorslaggevend is dat in de voorstelling van de voorbereider het door hem beoogde delict binnen een verenigd verband begaan moest worden'.[164] De voorbereidingsdaad zelf hoeft 'natuurlijk' niet in vereniging te geschieden. In zoverre kan sprake zijn van een eenmansactie, zij het dat deze meestal moeilijk te bewijzen zal zijn.[165] De strafbaarheid is dus niet beperkt tot in georganiseerd verband begane voorbereidingsdaden; *objectief* kan het in de voorfase zijn gebleven bij een voorbereidingshandeling van één persoon.[166] Het komt aan op de *intentie* om het misdrijf in vereniging te begaan.[167] De minister voelt niet voor de suggestie om slechts 'voorbereiding in vereniging' strafbaar te stellen, omdat hij niet inziet dat het gebrek aan objectieve deelneming van derden in de voorbereidingsfase een grond voor straffeloosheid moet opleveren.[168]

De Raad van State werpt de vraag op of het noodzakelijk is het element 'in vereniging' te handhaven.[169] De minister wijst er op dat juist aan in georganiseerd verband te verrichten gedragingen een objectief gevaarzettend karakter niet kan worden ontzegd.

'Het is het groepsproces, dat hier de voltooiing van het voorgenomen misdrijf in bijzondere mate begunstigt. (...) De mogelijkheid van vrijwillige terugtred is hier dan ook veel kleiner dan bij de éénmansactie. Het samenwerkingsverband zelf (...) legt een druk op de deelnemers om tot het daadwerkelijk begaan van het misdrijf over te gaan'.[170]

Behalve op de 'katalyserende werking' van het 'groepsgebeuren' wijst de minister nogmaals op de aanmerkelijke bewijsproblemen die steeds zullen rijzen als het gaat om een voorgenomen eenmansactie. De voorbereider die geheel alleen zijn criminele intentie wil verwezenlijken, zal zich daarover immers niet uitlaten tegenover derden. '[D]e wetgever dient niet strafbaar te stellen hetgeen (...) zo goed als nooit bewezen kan worden'.[171] De bewijsbare voorbereidingsdaad ligt bij een eenmansactie bovendien zo dicht bij de strafbare poging, dat de minister geen ruimte ziet voor een wettelijke onderscheiding tussen beide varianten.[172]

---

163 *Kamerstukken II* 1990/91, 22 268, nr. 3, p. 17. Ook elders in de wetsgeschiedenis wordt benadrukt dat het voorstel (mede) ziet op de bestrijding van de zware georganiseerde criminaliteit (*Kamerstukken II* 1991/92, 22 268, nr. 5, p. 26).
164 *Kamerstukken II* 1990/91, 22 268, nr. 3, p. 17.
165 *Kamerstukken II* 1990/91, 22 268, nr. 3, p. 18.
166 *Kamerstukken II* 1991/92, 22 268, nr. 5, p. 8.
167 *Kamerstukken II* 1991/92, 22 268, nr. 5, p. 26. Zie ook Strijards 1995, p. 20.
168 *Kamerstukken II* 1992/93, 22 268, nr. 7, p. 17.
169 *Kamerstukken II* 1990/91, 22 268, A, p. 6. Vgl. in dezelfde zin de leden van de GPV-fractie in de Tweede Kamer: *Kamerstukken II* 1992/93, 22 268, nr. 6, p. 9.
170 *Kamerstukken II* 1990/91, 22 268, A, p. 5.
171 *Kamerstukken II* 1990/91, 22 268, A, p. 5-6. Zie ook *Kamerstukken II* 1991/92, 22 268, nr. 5, p. 9-10 (het bewijs zal heel moeilijk te leveren zijn, de mogelijkheid van vrijwillige terugtred is veel en veel kleiner en de stuwkracht van het groepsproces heeft een verhoogd criminogene werking).
172 *Kamerstukken II* 1991/92, 22 268, nr. 5, p. 9.

In de literatuur wordt de wenselijkheid van de door de wetgever gekozen constructie overigens betwijfeld. Een redactie waarin het in vereniging *voorbereiden* strafbaar wordt gesteld, zou volgens Smith meer duidelijkheid verschaffen dan die waarin het gaat om de (vermoedelijke, toekomstige) gezamenlijkheid van de *uitvoering* van het misdrijf. Ook zou daarmee meer recht worden gedaan aan de achterliggende gedachte dat van het collectief een grotere gevaarzetting uitgaat.[173] Ook volgens De Hullu zou het beter bij de grondslag van de aansprakelijkstelling – de bestrijding van georganiseerde criminaliteit – passen om collectieve voorbereiding strafbaar te stellen.[174] Door het vervallen van de woorden 'in vereniging' is de discussie over de plaats en betekenis van dit bestanddeel inmiddels uiteraard achterhaald.

6.2 Het schrappen van 'in vereniging'

Het schrappen van de woorden 'in vereniging' in 2002 hield verband met de ratificatie van het Internationaal Verdrag ter bestrijding van de financiering van terrorisme.[175] Deze wijziging was oorspronkelijk niet in het betreffende wetsvoorstel opgenomen, maar werd naar aanleiding van vragen van de VVD-fractie bij nota van wijziging toegevoegd.[176] De regering acht het wenselijk dat het op dit 'betrekkelijk ondergeschikte' onderdeel van art. 46 Sr tot aanpassing komt. Het genoemde verdrag kent geen beperking tot middelen die bestemd zijn tot het in vereniging begaan van het voorbereide misdrijf. Daarbij wordt nog aangetekend dat het schrappen van deze eis

> '(...) ook overigens een verbetering oplevert, omdat onvoldoende duidelijk is waarom voorbereiding van een door een enkeling uit te voeren misdrijf (...) als zozeer minder strafwaardig aangemerkt zou dienen te worden, dat toepassing van artikel 46 Sr is uitgesloten'.[177]

Hoewel een enkel Kamerlid 'zeer verontrust' is over de verdere uitbreiding van de strafbaarheid van voorbereidingshandelingen, meent de minister dat het verenigingsvereiste 'geen wezenlijke inperking' betrof. De woorden 'in vereniging' hadden immers geen betrekking op de voorbereiding, maar op het begaan van het voorbereide delict.[178]
Het gaat hier, in de woorden van Smith, om een 'fundamentele wijziging' en om een 'aanmerkelijke verruiming' van de strafbaarheid. Desondanks is hier tijdens de parlementaire behandeling nauwelijks aandacht aan besteed. Er wordt volledig voorbij gegaan aan de achtergronden van de strafbaarstelling van art. 46 Sr, zoals deze blijken uit de wetsgeschiedenis.[179] De wijziging is bijzonder summier gemotiveerd en lijkt ook niet rechtstreeks uit in-

---

173 Smith 2003, p. 49-50.
174 De Hullu 2009, p. 399.
175 *Trb.* 2000, 12.
176 *Kamerstukken II* 2001/02, 28 031, nr. 6.
177 *Kamerstukken II* 2001/02, 28 031, nr. 5, p. 4.
178 *Kamerstukken II* 2001/02, 28 028 enz., nr. 14, p. 11 en p. 26. Kamerlid Halsema brengt in herinnering dat de strafbaarstelling van voorbereidingshandelingen al een breuk betekende met het vigerende strafrecht, doordat eigenlijk via een omweg ook de intenties strafbaar gesteld zijn. De eis van het in vereniging plegen was de 'enige objectivering' die daarop werd aangebracht.
179 Smith 2003, p. 50 en p. 229-231.

ternationale verplichtingen voort te vloeien.[180] In het licht van de principiële overwegingen op grond waarvan deze beperking in 1994 was aangebracht, wekt het verbazing dat zonder verdere discussie is overgegaan tot het schrappen van dit bestanddeel. Zoals hierboven is gebleken, hield deze eis verband met (kort samengevat) de moeilijke bewijsbaarheid van een eenmansactie, de veel kleinere mogelijkheid van vrijwillige terugtred en de verhoogde gevaarzetting als gevolg van de 'stuwkracht van het groepsproces'.[181] Het vereiste werd door de wetgever gezien als één van de belangrijkste objectieve beperkingen van de strafbaarheid, die ervoor moesten zorgen dat het strafrecht ultimum remedium zou blijven en niet tot een intentiestrafrecht zou verworden. Bovendien maakte de strafbaarstelling onderdeel uit van de bestrijding van de georganiseerde criminaliteit.[182] De Hullu acht deze uitbreiding 'minder gelukkig', nu art. 46 Sr in zijn ogen juist om inperking vraagt.[183] Als de veronderstelling van de toenmalige wetgever over de bewijsbaarheid van de voorbereiding van een eenmansactie juist is, zal het vervallen van de woorden 'in vereniging' uiteraard geen enkel effect sorteren.[184]

Buruma spreekt in dit verband zelfs van 'prutswetgeving':

> 'Omdat de formeel limitatieve opsomming van voorbereidingshandelingen materieel nauwelijks inperkende waarde heeft, hoeft voortaan louter het (voorwaardelijk) opzet op een achtjaarsdelict te worden bewezen. Als ik iemand zeg dat ik 'mijn vrouw wel kan vermoorden' en een vleesmes koop, kan de rechter mij voor voorbereiding van moord veroordelen. Het enige wat telt is of de rechter van mijn kwade intentie is overtuigd of niet'.[185]

Het is naar mijn mening de vraag of het inderdaad zo'n vaart zal lopen, gezien de relatief zware eisen die lijken te worden gesteld aan het bewijs van het (voorwaardelijk) opzet.[186] Verder gaat Buruma voorbij aan het (destijds nog geldende) vereiste dat zijn vleesmes kennelijk bestemd moet zijn tot het vermoorden van zijn vrouw. Bij een restrictieve uitleg van de kennelijke bestemming lijkt het mij niet aannemelijk dat er in deze situatie sprake zou zijn van strafbaarheid. Door Smith is opgemerkt dat een restrictieve interpretatie van de overige beperkende bestanddelen 'opzettelijk' en 'kennelijk bestemd' nog meer dan voorheen op zijn plaats lijkt, nu met het bestanddeel 'in vereniging' één van de wezenlijke objectieve inperkingen van de reikwijdte van art. 46 Sr is komen te vervallen.[187] In dit licht is het des te opmerkelijker dat ook het woord 'kennelijk' inmiddels door de wetgever is geschrapt. Deze laatste wetswijziging komt in de volgende paragraaf aan de orde.

---

180 De Hullu 2009, p. 399, voetnoot 143. Zie echter ook Lintz 2007, p. 193: het Verdrag lijkt inderdaad geen ruimte te laten voor straffeloosheid van de financiering van de eenmansactie. Het Verdrag verplicht in art. 4 jo. art. 2 tot de strafbaarstelling van het 'wederrechtelijk en opzettelijk fondsen verstrekken of vergaren met de bedoeling die te gebruiken of met de wetenschap dat die (...) gebruikt zullen worden ter uitvoering van' (kort gezegd) een terroristische aanslag. Daaronder valt dus ook de enkeling die geld inzamelt voor een door hem zelf te plegen aanslag (Lintz 2007, p. 197). Zie over de vraag waarom dan niet is gekozen voor een zelfstandige strafbaarstelling van de financiering van terrorisme Lintz 2007, p. 193-194.
181 Zie ook Strijards 1995, p. 42-46; Lintz 2007, p. 194.
182 Zie hoofdstuk 2, § 3 en § 4.
183 De Hullu 2009, p. 399.
184 Smith 2003, p. 230.
185 Y. Buruma, 'Kroniek van het strafrecht', *NJB* 2002, p. 1502.
186 Zie § 3.3.
187 Smith 2003, p. 230.

7   (Kennelijk) bestemd[188]

7.1   Inleiding

In het kader van de wet tot verruiming van de mogelijkheden tot opsporing en vervolging van terroristische misdrijven is het woordje 'kennelijk' op 1 februari 2007 uit art. 46 Sr geschrapt.[189] De vraag wat precies de consequenties zijn van deze wetswijziging laat zich niet gemakkelijk beantwoorden. Gaat het hier om een verruiming van de strafbaarheid of is van een inhoudelijke wijziging geen sprake? Om meer duidelijkheid te kunnen verschaffen over deze kwestie is het noodzakelijk dat ik eerst aandacht besteed aan de betekenis van het woord 'kennelijk' in art. 46 (oud) Sr. Aangezien mijn conclusie zal luiden dat met het schrappen van deze term geen inhoudelijke wijziging van de reikwijdte van het artikel is beoogd, zal vrij uitvoerig worden ingegaan op de wetsgeschiedenis, literatuur en rechtspraak met betrekking tot de kennelijke bestemming. Deze blijven namelijk naar mijn mening – ook na de wijziging van art. 46 Sr – onverminderd van belang voor de interpretatie van dit artikel.[190]

7.2   'Kennelijk bestemd' in art. 46 (oud) Sr; wetsgeschiedenis en literatuur

De volgende passage in de memorie van toelichting duidt op een objectieve benadering van het begrip 'kennelijk': 'De misdadige bestemming moet voor de gemiddelde rechtsgenoot, gelet op de omstandigheden waaronder de middelen werden gebruikt en aangetroffen, in het oog springen'.[191] Andere passages duiden op een meer subjectieve benadering. Aan de hierboven geciteerde opmerking voegt de minister meteen het volgende toe:

> 'Het wederrechtelijkheidsgehalte van de verboden gedraging wordt uiteraard bij de voorbereidingshandeling ontleend aan het uiteindelijk voorgestelde doel en niet zoals bij het voltooide delict – aan het gevolg. Dit betekent dat de causaliteit die bij de poging en het voltooide delict zo'n grote rol speelt hier vrijwel buiten spel staat en dat haar functie wordt overgenomen door de finaliteit van de daad'.[192]

Elders spreekt de minister van een 'kennelijke – dat wil zeggen: welhaast tastbare, goed objectiveerbare – doelstelling of strekking'.[193] 'De strekking van de voorgenomen daad moet nu eenmaal *objectiveerbaar* zijn, willen wij er niet naar afglijden, *enkele intenties* strafbaar te stellen' (mijn cursivering, ES).[194] In verband met eisen van rechtszekerheid is voor strafvorderlijk ingrijpen vereist dat het gaat om een 'traceerbare samenwerking van criminele aard', die zich uit in 'objectief vast te stellen handelen'.[195] Het wetsvoorstel gaat ervan uit dat in de voorbereidingsfase sprake moet zijn van een zekere 'veruiterlijking' van de achterliggende

---

188 Het onderstaande is voor een belangrijk deel ontleend aan en bouwt voort op Gritter & Sikkema 2006, p. 277-302.
189 Wet van 20 november 2006, *Stb.* 2006, 580, in werking getreden op 1 februari 2007.
190 Vgl. K. Rozemond, 'De casuïstische grenzen van het materiële strafrecht', *DD* 2007, p. 490 (hierna: Rozemond 2007b): de vraag of sprake is van strafbare voorbereiding moet nog steeds worden beoordeeld in het licht van de rechtspraak van de Hoge Raad (Ford Transit, Samir A.).
191 *Kamerstukken II* 1990/91, 22 268, nr. 3, p. 18.
192 *Kamerstukken II* 1990/91, 22 268, nr. 3, p. 18.
193 *Kamerstukken II* 1990/91, 22 268, A, p. 4.
194 *Kamerstukken II* 1990/91, 22 268, A, p. 7.
195 *Kamerstukken II* 1991/92, 22 268, nr. 5, p. 3.

kwalijke wilsgerichtheid. 'De voorbereidingshandeling ontleent haar typische strafbaarheid aan de ernst van het feit, waarop het vaste, naar buiten tredende, voornemen van de dader is gericht'.[196] Volgens de minister speelt mede een rol dat de rechtsgenoten aan de dader hebben bemerkt dat hij zeer goed in staat is tot het begaan van een ernstig misdrijf en daartoe zelfs al aanstalten gemaakt heeft.[197] Terwijl het begin van uitvoering (art. 45 Sr) moet worden gereconstrueerd onafhankelijk van de achterliggende intentie van de dader, zal dat bij de voorbereidingsdaad niet zo zijn:

> 'Hier zal de handeling moeten worden beschouwd als symptoom van de achterliggende criminele wilsgerichtheid. De daad moet de vastheid van het voornemen om tot een strafbaar feit te komen tekenen. Onloochenbaar wordt zo de strafrechtelijke aansprakelijkheid (...) meer in subjectieve richting afgebogen'.[198]

De weergegeven wetsgeschiedenis is niet eenduidig en lijkt op twee gedachten te hinken.[199] Aanvankelijk bestond in de literatuur dan ook twijfel over de vraag of aan de woorden 'kennelijk bestemd' een subjectieve dan wel een (beperkende) objectieve betekenis moest worden toegekend. Omdat het hier echter in feite zou gaan om de enige werkelijke beperking die aan de voorbereidingsmiddelen werd gesteld, werd in het algemeen gepleit voor een objectieve invulling.[200] In het voorgaande werd al opgemerkt dat bij de opsomming van gedragingen en middelen in art. 46 Sr gebruik is gemaakt van dermate algemene termen, dat daar nauwelijks een beperkende werking van uitgaat. De redactie van art. 46 Sr laat dus in beginsel de mogelijkheid open dat vrijwel iedere (op zichzelf onschuldige) gedraging, verricht met het voornemen om een misdrijf te begaan, strafbaar is.[201] Een dermate ruime aansprakelijkheid zou echter in strijd zijn met de bedoeling van de wetgever. Deze achtte aansprakelijkheid immers uitgesloten als de intentie in geen enkel opzicht blijkt uit handelingen die op zichzelf wederrechtelijk zijn. De ratio achter de strafbaarstelling van voorbereidingshandelingen in art. 46 Sr moet zoals bekend worden gezocht in het gevaarzettende karakter van die handelingen. Objectief volstrekt onschuldige gedragingen zouden daarom niet strafbaar moeten worden op grond van het enkele feit dat zij met een criminele intentie worden verricht.[202] Gelet op deze ratio is een nadere beperking van de strafbaarheid dus wenselijk. Een restrictieve interpretatie van het bestanddeel 'kennelijk bestemd' (én van het bestanddeel 'opzettelijk') kan volgens Smith een geëigend middel zijn om een dergelijke beperking te bewerkstelligen.[203]

---

196 *Kamerstukken II* 1991/92, 22 268, nr. 5, p. 14-15. Vgl. *Kamerstukken II* 1991/92, 22 268, nr. 5, p. 19: de nadruk ligt heel sterk op de 'naar buiten getreden doelstelling'.

197 *Kamerstukken II* 1991/92, 22 268, nr. 5, p. 24.

198 *Kamerstukken II* 1992/93, 22 268, nr. 7, p. 14. Vgl. in dit verband ook *Handelingen II* 1992/93, 91, p. 6828-6829. Het kamerlid Kalsbeek-Jasperse (PvdA) betoogt: 'De aangeschafte zaken moeten (...) 'kennelijk bestemd zijn om'. (...) Het is objectief'. Kamerlid Brouwer (Groen Links) reageert als volgt: 'Het is niet objectief, want waaruit moet de intentie blijken?'.

199 Pelser 2004, p. 190. Zie ook De Jong 1992, p. 48, i.h.b. voetnoot 25; J.M. van Bemmelen & Th.W. van Veen, *Het materiële strafrecht* (Ons strafrecht 1), bewerkt door D.H. de Jong & G. Knigge, Deventer: Kluwer 2003, p. 209-210; De Hullu 2009, p. 400-401.

200 Pelser 2004, p. 189-190; Smith 2003, p. 44.

201 Zie § 4 en § 5.

202 Zie hoofdstuk 2, § 3 en § 4. Zie ook Lintz 2007, p. 204.

203 Smith 2003, p. 201.

In een objectieve benadering volgt uit het woord 'kennelijk' dat de middelen niet alleen de bedoelde bestemming moeten hebben, maar dat deze bestemming tevens op enigerlei wijze *duidelijk* moet zijn. Niet de subjectieve indruk van de opsporingsambtenaar is doorslaggevend, maar de indruk die de gemiddelde rechtsgenoot van het gebeuren heeft. De bestemming moet dus in beginsel kunnen worden opgemaakt uit uiterlijk waarneembare omstandigheden.[204] Dat hoeft overigens niet te betekenen dat die bestemming bijvoorbeeld voor een toevallige voorbijganger ter plekke zichtbaar was. Het is ook mogelijk dat die bestemming pas *achteraf*, na aanhouding van de verdachte(n), kan worden vastgesteld door de politie.[205] Het voorgaande brengt evenmin mee dat de kennelijke bestemming in de *aard* van de middelen moet schuilen. Deze kan immers ook blijken uit de overige omstandigheden en gedragingen (in de woorden van de wetgever: 'de omstandigheden waaronder de middelen werden gebruikt en aangetroffen'). Anderzijds is het de vraag of het enkele aanwezig hebben van een 'gemeengevaarlijk' voorwerp (bijvoorbeeld een wapen), met de intentie om er een zwaar misdrijf mee te begaan, *toereikend* kan zijn voor een strafbare voorbereiding.[206] Dat een voorwerp geschikt is voor het begaan van een bepaald misdrijf, betekent nog niet dat het daarvoor bestemd is.[207] Ook vuurwapens en explosieven kunnen voor verschillende doeleinden worden gebruikt. Hier is van belang dat het beoogde misdrijf volgens Smith tot op zekere hoogte (naar tijd, plaats en object) nader moet zijn *geconcretiseerd*. De aard van het misdrijf zal in elk geval vast moeten staan, gelet op het vereiste dat het gaat om een misdrijf waarop een gevangenisstraf van acht jaren of meer is gesteld.[208] Art. 46 Sr eist niet met zoveel woorden dat het moet gaan om handelingen die in tijd en plaats relatief dicht tegen de uitvoering van het misdrijf aanliggen. In beginsel stelt de wet dus geen eisen aan de mate waarin de voorbereidingen zijn gevorderd. Een dergelijk criterium kan en moet volgens Smith worden ingelezen in het bestanddeel 'kennelijk bestemd'.[209]

Betekent het bovenstaande nu dat de intentie van de voorbereider niet mag worden betrokken bij de vraag naar de kenbaarheid van de bestemming? Volgens Strijards moet hierbij wel altijd de achteraf gebleken intentie van de voorbereider worden verdisconteerd.[210] Ook volgens De Hullu mag hetgeen over de intentie bekend is meetellen bij het bewijs van de kennelijke bestemming.[211] De Jong en Knigge wijzen er echter terecht op dat het woord 'kennelijk' in een ruime subjectieve benadering geen enkele zelfstandige beperkende be-

---

204 Smith 2003, p. 47-48. Het zal (net als bij de poging) van de omstandigheden van het geval en de aard van het delict afhangen of sterkere dan wel zwakkere eisen worden gesteld aan de uiterlijke waarneembaarheid. Vgl. wat de poging betreft ook de bekende Videodozen-zaak (HR 8 december 1992, *NJ* 1993, 321); vgl. Pelser 2004, p. 188; Van Bemmelen/Van Veen 2003, p. 209. Verder is het steeds de vraag welke voorkennis aan de 'gemiddelde rechtsgenoot' wordt toegeschreven. Wordt deze bijvoorbeeld geacht op de hoogte te zijn van eerdere door de politie geobserveerde operaties van dezelfde verdachten? Zie Smith 2003, p. 202-203.

205 Rozemond 2011, p. 134-137. Rozemond merkt terecht op dat in een andere opvatting in de Grenswisselkantoor-zaak (HR 8 september 1987, *NJ* 1988, 612) nog steeds geen sprake zou kunnen zijn van voorbereiding, terwijl die zaak voor de wetgever nu juist een aanleiding vormde voor de strafbaarstelling van voorbereiding in art. 46 Sr (zie hoofdstuk 2, § 2 en § 4).

206 Het aanwezig hebben van wapens is uiteraard reeds strafbaar op grond van de Wet Wapens en Munitie.

207 Vgl. Strijards 1995, p. 136.

208 Smith 2003, p. 41 en p. 207-211. Vgl. Strijards 1995, p. 137. Zie ook het § 7.3 te bespreken arrest HR 17 september 2002, *NJ* 2002, 626 (Mombakkes) en het in § 7.7 te bespreken arrest HR 5 april 2011, *LJN* BO6691.

209 Smith 2003, p. 204-206.

210 Strijards 1995, p. 136.

211 De Hullu 2009, p. 401-402 (vgl. voetnoot 160).

tekenis heeft naast de eveneens in art. 46 Sr voorkomende term 'opzettelijk'. Op grond
van die laatste term is immers reeds vereist dat het opzet van de voorbereider gericht is
op de criminele bestemming van het voorbereidingsmiddel.[212] Het bewijs van dit opzet
kan sterk samenhangen met het bewijs van de kennelijke bestemming. Zoals eerder in dit
hoofdstuk al werd opgemerkt zal het opzet op een nader bepaald misdrijf enerzijds in veel
gevallen niet kunnen worden bewezen als de voorbereidingshandelingen niet enigszins zijn
gevorderd.[213] Anderzijds is het de vraag in hoeverre het opzet (de intentie) medebepalend
kan zijn voor het bewijs van de kennelijke bestemming.[214] Deze laatste vraag speelt een
belangrijke rol in de hieronder te behandelen rechtspraak.

7.3 'Kennelijk bestemd' in art. 46 (oud) Sr; rechtspraak

In de zaak die leidde tot het Mombakkes-arrest[215] was de verdachte door het hof veroordeeld ter zake van het voorhanden hebben van een bivakmuts (althans een voor vermomming geschikt voorwerp) en/of één of meer gestolen auto's, kennelijk bestemd tot het in
vereniging begaan van diefstal met geweld en/of afpersing. A-G Machielse oordeelt dat het
hof uit de bewijsmiddelen heeft kunnen afleiden dat hier sprake was van voorbereidingshandelingen voor een overval op een geldwagen:

> 'Ik kan mij weinig andere verklaringen indenken voor het gedrag van verzoeker en zijn mede-
> dader zoals dat op verschillende momenten en op verschillende plaatsen is waargenomen: het
> wachten in een auto op een bedrijventerrein met zicht op een geldwagen, het met de auto vol-
> gen van een geldwagen, het in de gaten houden van [die] geldwagen en in de buurt rondrijden
> terwijl die geldwagen staat te laden of lossen, terwijl tijdens minstens één van die momenten
> een voor vermomming geschikt voorwerp op de achterbank van de auto ligt en bovendien twee
> gestolen auto's bij de autoritten zijn betrokken.'

Opvallend is dat de A-G in dit verband niet expliciet ingaat op de vraag of de voorwerpen
'kennelijk bestemd' waren tot het begaan van een overval. De Hoge Raad komt niet tot een
inhoudelijke beoordeling van het betreffende middel. Daaruit mag mogelijk worden afgeleid dat de Hoge Raad in de context van dit concrete geval – mede gelet op het *gebruik* dat
van deze voorwerpen is gemaakt – geen moeite heeft met het aanmerken van (kort gezegd)
een bivakmuts en (een) gestolen auto('s) als voorwerpen die kennelijk bestemd zijn tot het
plegen van een overval.

In het Ford Transit-arrest[216] komt het uitdrukkelijk wel tot een oordeel van de cassatierech-
ter over de kennelijke bestemming van een (vermeend) voorbereidingsmiddel. Het hof had
ten aanzien van de verdachte bewezen verklaard dat hij een auto voorhanden had gehad,
kennelijk bestemd tot het in vereniging begaan van diefstal met geweld in vereniging. Het
verweer dat de auto niet kennelijk bestemd was tot het begaan van dat misdrijf werd door
het hof verworpen met de vaststelling dat de auto onder meer was gebruikt om observaties
van een bankfiliaal uit voeren. Hieruit had het hof afgeleid dat de verdachten de bank kennelijk aan het 'afleggen' waren ten behoeve van het plegen van een overval. Zwaar leunend

212 Van Bemmelen/Van Veen 2003, p. 210. Zie hierover § 3.1.
213 Zie § 3.2.
214 Smith 2003, p. 206 en 223-224.
215 HR 17 september 2002, *LJN* AE4200, *NJ* 2002, 626 (Mombakkes).
216 HR 18 november 2003, *LJN* AJ0535 (Ford Transit I).

op de passages over de kennelijke bestemming uit de memorie van toelichting[217] overweegt de Hoge Raad:

'[H]et Hof [heeft] die auto beoordeeld op zijn uiterlijke verschijningsvorm, op het daarvan gemaakte gebruik en op het misdadige doel dat de verdachte en zijn mededader met het gebruik van die auto voor ogen hadden. In het licht van vorenweergegeven wetsgeschiedenis getuigt 's Hofs oordeel dat die auto 'kennelijk bestemd' was tot het in vereniging begaan van de beoogde misdrijven niet van een onjuiste rechtsopvatting omtrent dat begrip in art. 46 (oud) Sr. Dat oordeel is ook niet onbegrijpelijk en is toereikend gemotiveerd.'

De Hoge Raad formuleert dus een drietal criteria of aandachtspunten aan de hand waarvan bepaald moet worden of een zeker voorwerp kennelijk is bestemd tot het begaan van de betreffende misdrijven: a) de *uiterlijke verschijningsvorm*, b) het *gebruik* van het voorwerp en c) het *misdadige doel* dat de verdachte met het gebruik voor ogen had. De Hoge Raad laat aldus duidelijk blijken, dat in ieder geval 'een' intentie mee mag wegen bij de bepaling van de kennelijke bestemming. Een alledaags vervoermiddel als een auto is op zichzelf uiteraard niet naar uiterlijke verschijningsvorm bestemd voor het plegen van een overval, maar dat kan anders worden als de auto wordt gebruikt voor het 'afleggen' van een te overvallen bank.[218]

In een volgend arrest ging het om een verdachte die diverse voorwerpen voorhanden had dan wel verworven had, zoals inbrekersgereedschap, (valse) kentekenplaten, tape, een auto en vuurwapens.[219] Ook in dit geval was de auto gebruikt om de te overvallen objecten te observeren. De Hoge Raad accepteert dat het hof de voorwerpen 'indien al niet afzonderlijk dan toch in hun gezamenlijkheid' beoordeeld heeft op hun uiterlijke verschijningsvorm, op het daarvan gemaakte gebruik en op het misdadige doel dat de verdachte en zijn mededader met het gebruik van die voorwerpen voor ogen hadden. Het arrest laat zien dat de aandachtspunten bij de beoordeling van de 'kennelijke bestemming' niet per definitie per voorwerp hoeven te worden vastgesteld; voorwerpen kunnen ook 'in gezamenlijkheid' op de drie criteria worden beoordeeld.

Het Brief in jaszak-arrest[220] kwam eerder al ter sprake bij de behandeling van het opzet-vereiste.[221] Volgens A-G Jörg en annotator Reijntjes was de kennelijke bestemming van de betreffende brief hier onomstreden. Nu de brief informatie bevatte over het plegen van een mogelijke overval op een geldtransportbedrijf, betrof het immers geen op zichzelf, objectief 'onschuldig' voorwerp. Anders dan ten aanzien van bijvoorbeeld een auto (of zelfs een pistool) kan hier geen enkele twijfel rijzen over de kennelijke bestemming, aldus Jörg. In die zin lijkt het begrijpelijk dat de Hoge Raad in het arrest niet expliciet ingaat op

---

217 Zie § 7.2.
218 Vgl. de conclusie van A-G Keijzer onder punt 16.
219 HR 18 november 2003, *LJN* AJ0517 (Ford Transit II).
220 HR 17 februari 2004, *NJ* 2004, 400, *LJN* AN9358 (Brief in jaszak). Het arrest staat ook wel bekend als het Handleiding-arrest.
221 Zie § 3.3, ook voor de feiten in deze zaak.

de 'kennelijke bestemming' van de brief.[222] De overwegingen van de Hoge Raad bevatten echter wel degelijk aanknopingspunten voor de opvatting dat het arrest niet alleen ziet op het opzet, maar mede op de objectieve zijde van het voorbereidingsdelict.[223] De Hoge Raad overweegt immers

'(...) dat voor wat betreft het *handelen* en het opzet van de verdachte uit de gebezigde bewijsmiddelen niet (...) kan (...) worden afgeleid dat bedoeld voorhanden hebben *strekte ter voorbereiding van enig feit* als in de bewezenverklaring bedoeld, op het begaan waarvan het opzet van de verdachte was gericht' (mijn cursivering, ES).

De Hoge Raad lijkt dus onderscheid te maken tussen a) de vraag of het handelen van de verdachte strekt ter voorbereiding van een bepaald misdrijf enerzijds en b) de vraag of het opzet van de verdachte op dat misdrijf gericht is anderzijds. Voor zover het hier gaat om de 'strekking' van het 'handelen' van de verdachte (het voorhanden hebben van de brief), kan daar mijns inziens niets anders mee bedoeld zijn dan de 'bestemming' van de brief.[224] Volgens Buruma moet uit de gedraging van de verdachte een enigszins concrete aanwijzing kunnen worden afgeleid voor de finaliteit van de voorbereidingshandeling, die minstens betrekking zal moeten hebben op tijd, plaats en aard van het beweerdelijk voorbereide delict. Anders zou ongeveer elke gedraging (zoals het voorhanden hebben van een slagersmes) wel kunnen worden gekoppeld aan de strafbare voorbereiding en zou nog slechts het bewijs van de intentie hoeven te worden geleverd.[225] In die zin is het bij nader inzien nog maar de vraag of de 'objectieve strekking' (de kennelijke bestemming) van de brief in de jaszak inderdaad zo evident was.[226] Over de tijd en plaats van een mogelijke overval was bijvoorbeeld nog niets bekend. Zoals gezegd wil het feit dat een voorwerp *naar zijn aard* geschikt is voor het begaan van een bepaald misdrijf, nog niet zeggen dat het daartoe ook (kennelijk) bestemd is.[227] Naar *uiterlijke verschijningsvorm* is weliswaar geen sprake van een neutraal of alledaags voorwerp, maar er was nog geen enkel *gebruik* gemaakt van de brief en het stond geenszins vast dat de verdachte daadwerkelijk een *misdadig doel* voor ogen had. Eerder werd al opgemerkt dat het bewijs van het opzet sterk samenhangt met het bewijs van de kennelijke bestemming. Als het opzet (de intentie, het 'misdadig doel') niet kan worden bewezen, omdat er nog geen 'gebruik' van het middel is gemaakt, ontbreken tegelijkertijd ook twee van de drie factoren die een rol spelen bij het vaststellen van de kennelijke bestemming.[228]

---

222 Zie ook De Hullu 2005, p. 251: de bestemming liet hier weinig aan duidelijkheid te wensen over en speelde dus ook geen rol in de overwegingen. Zie verder Y. Buruma, 'De gedraging als element van het strafbare feit', *DD* 2006, p. 817: de objectieve kant – de inhoud van de brief – strekte hier duidelijk richting een bepaald type delict. Bij andere voorwerpen (bijvoorbeeld een slagersmes) kan die 'objectieve strekking' minder helder zijn.
223 Anders: Rozemond 2007a, p. 7.
224 Vgl. Strijards 1995, p. 136: 'De termen 'bestemd tot' duiden op een *strekking* van het middel'.
225 Zie Buruma 2006, p. 817, alwaar hij zich ook afvraagt of de rechter een veroordeling kan baseren op het voorhanden hebben van een slagersmes en de keiharde mededeling van de bezitter daarvan dat hij zijn vrouw zou willen vermoorden. Zie over het voorbeeld van het slagersmes/vleesmes verder § 6.2.
226 Anders nog Gritter & Sikkema 2006, p. 286-287.
227 Zie hiervoor, onder 8.2. Vgl. Rb. 's-Gravenhage 18 augustus 2006, *LJN* AY7243. De verdachte had aangegeven dat de bivakmuts en de panty's c.q. kousen die in zijn auto aanwezig waren geenszins bestemd waren tot het uitvoeren van enig strafbaar feit, maar voor een erotisch spel dat hij met een vriendin verwachtte te zullen hebben. Op basis van afgeluisterde gesprekken acht de rechtbank deze verklaring niet geloofwaardig.
228 Zie § 3.2 en § 7.2.

De uitspraak van de Hoge Raad moet naar mijn mening dan ook in belangrijke mate worden begrepen in het licht van het feit dat de verdachte de brief (nog) niet *daadwerkelijk had gebruikt ter voorbereiding* van een overval. In dat opzicht is ook sprake van een essentieel verschil ten opzichte van de eerder behandelde arresten, waarin de auto's waren gebruikt om banken mee te observeren.[229]

7.4 De zaak Samir A.

In de zaak van Samir A. was onder meer aan de verdachte ten laste gelegd dat hij ter voorbereiding van moord en/of doodslag en/of een aantal gemeengevaarlijke delicten, diverse voorwerpen, stoffen en informatiedragers voorhanden had gehad. De voorbereidingsmiddelen betroffen onder meer diverse plattegronden en foto's van overheidsgebouwen, documenten omtrent martelaarschap en het oproepen tot de Jihad, een geluiddemper, een kogelwerend vest, voorwerpen die mogelijk als onderdelen van een explosieve constructie konden worden geduid en ammoniak en zoutzuur. De rechtbank komt in deze zaak tot een vrijspraak van de ten laste gelegde voorbereiding. Volgens de rechtbank heeft een deel van de voorbereidingsmiddelen weliswaar 'een' criminele bestemming, maar zijn deze voorwerpen niet zonder meer gericht op één of meer van de concreet in de tenlastelegging genoemde misdrijven.[230]

Ook in hoger beroep wordt Samir A. vrijgesproken van strafbare voorbereiding.[231] Bij de vraag of sprake is geweest van strafbare voorbereiding gaat het volgens het hof mede om de concrete en/of acute gevaarzetting die van het vervaardigen of voorhanden hebben van dat materiaal uitgaat. Uit de in beslag genomen voorwerpen en de daarmee samenhangende gedragingen, zoals het maken van aantekeningen over overheidsgebouwen en het 'bekijken' van de situaties rondom dergelijke gebouwen, leidt het hof af dat één en ander

'(…) een nog zo primitief en oppervlakkig karakter [draagt], dat het hof het onmogelijk acht dat op basis van deze vergaand onvolkomen informatie een aanval op deze objecten met enige kans op succes zelfs maar in voorbereiding kan worden genomen'.

Het hof twijfelt niet aan de 'terroristische intentie' van de verdachte, maar overweegt verder dat hetgeen hij heeft ondernomen '(...) zich in een zodanig pril stadium bevond en zo onbeholpen en primitief was, dat daarvan géén reële dreiging (binnen afzienbare termijn) kón uitgaan'. De diverse voorbereidingsmiddelen waren in de ogen van het hof, objectief gezien, niet bestemd tot de voorbereiding van een aanslag. Zou men ondanks het ontbreken van die objectieve bestemming en de daarmee samenhangende gevaarzetting een

---

229 Zie ook Rb. Dordrecht 2 oktober 2006, *LJN* AZ0036, AZ0038 en AZ0042: de gebruikte auto's en mobiele telefoons waren kennelijk bestemd voor het voorbereiden van een overval, nu vanuit dat voertuig een Grenswisselkantoor was geobserveerd, waarbij de medeverdachten contact met elkaar onderhielden via de mobiele telefoons. Zie verder Rb. Haarlem 20 februari 2007, *LJN* AZ9164: bewezenverklaring van voorbereiding, waarbij de verdachte onder meer was postgevat in de nabijheid van het kantoor van het slachtoffer en de voordeur van dat kantoor had geobserveerd. Vgl. Rb. 's-Gravenhage 9 februari 2007, *LJN* AZ8161: de auto en de mobiele telefoons waren niet kennelijk bestemd tot het begaan van een misdrijf. 'Niet is gebleken dat [de verdachten] ter plaatse uit de auto zijn gestapt of langer hebben rondgereden dan enkele minuten. Van een situatie waarin [zij] één of meer locatie(s) zijn gaan observeren of afleggen is dan ook geen sprake (...)'.
230 Rb. Rotterdam 6 april 2005, *LJN* AT3315. Zie tevens *Nieuwsbrief Strafrecht* 2005, nr. 179.
231 Gerechtshof 's-Gravenhage 18 november 2005, *LJN* AU6181, *NJ* 2006, 69.

verdachte toch veroordelen, dan zou men hem volgens het hof ten gronde straffen voor zijn gedachten en intenties, hetgeen de wetgever juist uitdrukkelijk heeft willen uitsluiten. De vrijspraak van Samir A. was voorpaginanieuws en leidde tot kritiek van Kamerleden.[232] Buruma is echter van mening dat de benadering van het hof, waarin een reële dreiging binnen afzienbare termijn vereist is, zeer verstandig is. In een andere benadering zou ongeveer elke gedraging wel kunnen worden gekoppeld aan de strafbare voorbereiding en zou nog slechts het bewijs van de intentie hoeven te worden geleverd.[233] Van Sliedregt vindt de conclusie van het hof daarentegen opmerkelijk en vraagt zich af of het nodig was om intentie en voorbereidingsmiddelen zo strikt te scheiden. Ze wijst er terecht op dat de intentie van de dader volgens de Hoge Raad mag meewegen voor het bewijs van de kennelijke bestemming.[234] Op dit punt is het arrest tegenstrijdig en onduidelijk, aldus Van Sliedregt.[235]

De Hoge Raad heeft het arrest van het hof gecasseerd.[236] Het cassatiemiddel bevat de klacht dat het hof een onjuiste betekenis heeft toegekend aan de woorden 'kennelijk bestemd'. Het hof heeft volgens de steller van het middel te zwaar de nadruk gelegd op de noodzaak van een objectieve gevaarlijkheid, in plaats van op de subjectieve component van de strafbare voorbereiding. A-G Machielse betoogt op basis van de wetsgeschiedenis dat het in dit verband aankomt op de 'veruiterlijkte intentie'. Het bestaan van de intentie zal op een of andere manier uit objectieve omstandigheden moeten blijken. Van een strafbaar stellen van intenties alleen is daarom geen sprake.

> 'De objectivering van de misdadige intentie zal dus niet reeds gezocht kunnen worden in bijvoorbeeld enkel uitlatingen waaruit die criminele intentie kan blijken. De dader moet als het ware al zijn eerste stappen hebben gezet op het pad dat hem naar het criminele doel moet voeren'.

Machielse concludeert dat de wetgever in art. 46 Sr een sterk accent heeft gelegd bij de subjectieve component, zij het dat deze zich moet hebben veruiterlijkt. Voorts kan uit de (door mij eerder behandelde) rechtspraak van de Hoge Raad worden afgeleid dat de intentie van verdachte en de indruk die de aanwezigheid van de voorwerpen maakt mogen worden betrokken bij de uitleg van art. 46 Sr. Ook in de literatuur tekent zich volgens Machielse een heersende stroming af die de intentie van de verdachte en de indruk die het handelen maakt (de uiterlijke verschijningsvorm) betrekt bij de vraag of er sprake is van een kennelijke bestemming.[237] Het hof heeft zich in deze zaak van die heersende opvatting verwijderd, aldus de A-G, door geen rol van betekenis toe te kennen aan de uiterlijke verschijningsvorm en door hetgeen deskundigen achteraf over de mogelijkheden van de betreffende voorwerpen hebben verklaard bepalend te achten voor de objectieve bestemming

---

232 E. van Sliedregt, 'Samir A. en strafbare voorbereiding', *NJB* 2005, p. 2371-2372.
233 Buruma 2006, p. 817.
234 Zie voor de betreffende Ford Transit-arresten § 7.3.
235 Van Sliedregt 2005, p. 2371-2372.
236 HR 20 februari 2007, *LJN* AZ0213.
237 Daarbij lijkt Machielse overigens onder verwijzing naar Gritter & Sikkema 2006, p. 279 e.v. te suggereren dat mijn toenmalige medeauteur en ik niet tot deze heersende stroming zouden behoren, aangezien wij ons zouden hebben aangesloten bij de 'objectieve benadering'. Wij hebben in het genoemde artikel echter nergens betoogd dat de intentie niet zou mogen worden betrokken bij de beoordeling van de kennelijke bestemming; we hebben slechts gesteld dat de enkele intentie niet voldoende is voor strafbaarheid. In die zin kan onze opvatting wellicht beter als 'gematigd objectief' worden gekenmerkt (zie ook hoofdstuk 4, § 4).

van die voorwerpen. Het hof had zich dienen te richten op de indruk die de voorwerpen, afzonderlijk of in hun onderlinge samenhang, op de redelijke rechtsgenoot zouden kunnen maken. Ook heeft het hof de kennelijke bedoeling van de verdachte als een geïsoleerd gegeven beschouwd, zonder aandacht te schenken aan de mogelijkheid dat de criminele intentie een gebrek in de objectieve component van voorbereiding compenseert. Door uit te gaan van een 'volstrekt objectieve' beoordeling achteraf heeft het hof volgens Machielse een onjuiste uitleg gegeven aan art. 46 Sr.

Mede op grond van de wetsgeschiedenis[238] overweegt de Hoge Raad dat bij de beantwoording van de vraag of de in art. 46 (oud) Sr vermelde voorwerpen (enzovoort), afzonderlijk of gezamenlijk, *naar hun uiterlijke verschijningsvorm* 'kennelijk bestemd' zijn tot het begaan van een misdrijf, niet kan worden geabstraheerd van het *misdadige doel* dat de verdachte met het *gebruik* van die voorwerpen voor ogen had.

> 'Het Hof, dat heeft overwogen aan de terroristische *intentie* van de verdachte niet te twijfelen, heeft geoordeeld dat de in de in de tenlastelegging opgesomde voorwerpen (...) niet kennelijk bestemd zijn tot voorbereiding van een aanslag zoals tenlastegelegd, omdat die voorwerpen die bestemming *in objectieve zin* redelijkerwijs niet kunnen hebben. Daarmee heeft het Hof kennelijk als maatstaf aangelegd of die voorwerpen naar hun aard of hun concreet dan wel acuut gevaarzettend karakter daadwerkelijk zouden kunnen bijdragen aan het begaan van dat misdrijf. Aldus heeft het Hof blijk gegeven van een te beperkte en dus onjuiste opvatting omtrent art. 46, eerste lid, (oud) Sr. Het Hof heeft immers nagelaten te beoordelen of deze voorwerpen, afzonderlijk dan wel gezamenlijk *naar hun uiterlijke verschijningsvorm ten tijde van het handelen* dienstig kunnen zijn voor het *misdadige doel* dat de verdachte met het *gebruik* van de voorwerpen voor ogen had' (mijn cursivering, FS).

Na de verwijzing door de Hoge Raad heeft het Hof Amsterdam Samir A. op 17 september 2007 veroordeeld tot vier jaar gevangenisstraf. Het hof is van oordeel dat de bij de verdachte aangetroffen voorwerpen bij de gemiddelde rechtsgenoot de indruk wekken dat deze voorwerpen kennelijk bestemd waren voor het – kort gezegd – plegen van een aanslag op één of meer van de betreffende gebouwen.[239]

Volgens Rozemond wijst de Hoge Raad in het Samir A.-arrest een objectieve uitleg van het bestanddeel 'kennelijk' van de hand. De Hoge Raad lijkt in vergelijking met eerdere arresten meer nadruk te willen leggen op de misdadige intenties van de verdachte en minder op de uiterlijke verschijningsvorm van de voorwerpen, aldus Rozemond.[240] Naar mijn mening kan uit het arrest echter niet worden afgeleid dat sprake is van een 'subjectivering' van de strafbare voorbereiding.[241] Uit de hierboven weergegeven overwegingen blijkt duidelijk dat de Ford Transit-criteria onverminderd van kracht blijven. De (objectieve) maatstaf van de uiterlijke verschijningsvorm wordt daarbij zelfs uitdrukkelijk vooropgesteld en lijkt nu als overkoepelend criterium te fungeren: het misdadige doel dat de verdachte met het gebruik

---

238 Zie voor de betreffende onderdelen van de wetsgeschiedenis § 3.1, § 4 en § 7.2.
239 Gerechtshof Amsterdam 17 september 2007, *LJN* BB3756.
240 Rozemond 2007a, p. 3 en p. 7-8. Ook Dolman is van oordeel dat de rechtspraak inzake strafbare voorbereiding met het Samir A.-arrest onmiskenbaar in een subjectieve sleutel is gezet (M.M. Dolman, 'Wie streeft, die sneeft', *DD* 2008, p. 443).
241 Het onderstaande is deels ontleend aan Gritter & Sikkema 2008, p. 99-100.

van de voorwerpen voor ogen had moet naar uiterlijke verschijningsvorm worden beoordeeld.[242] Het gaat dus inderdaad – in de woorden van A-G Machielse – om de *veruiterlijkte* intentie. Van een 'puur subjectieve' uitleg is dan ook geen sprake; de enkele intentie is nog steeds niet voldoende voor strafbaarheid. Anderzijds lijkt de Hoge Raad te willen benadrukken dat het hof ten onrechte is uitgegaan van een 'puur objectieve' opvatting, door de intentie niet mee te wegen bij de beoordeling van de kennelijke bestemming. In die zin kan de benadering van de Hoge Raad worden aangemerkt als 'gematigd objectief'. Dat sluit aan bij de rechtspraak over de poging, waar de uiterlijke verschijningsvorm zoals bekend eveneens het criterium is.

Opmerkelijk is dat de Hoge Raad met zoveel woorden overweegt dat het hof ten onrechte als maatstaf heeft aangelegd of de voorwerpen *naar hun aard of hun concreet dan wel acuut gevaarzettend karakter* daadwerkelijk zouden kunnen bijdragen aan het begaan van dat misdrijf. Daarmee lijkt de Hoge Raad expliciet de ratio van de strafbaarstelling van art. 46 Sr en de bedoeling van de wetgever naast zich neer te leggen.[243] Is de opvatting dat voor strafbaarheid op grond van art. 46 Sr sprake moet zijn van een 'reële, objectieve gevaarzetting' nu definitief van de baan?[244] Naar mijn mening kan men deze overweging ook anders lezen. In de zaak van Samir A. staat immers vooral de vraag naar de geschiktheid van de voorbereidingsmiddelen voor het plegen van een aanslag centraal. De kern van het arrest is dat deze 'deugdelijkheid' naar uiterlijke verschijningsvorm (ten tijde van het handelen) moet worden beoordeeld en niet aan de hand van hetgeen deskundigen daar (achteraf) over hebben verklaard.[245] Er moet met andere woorden wel degelijk sprake zijn van objectieve gevaarzetting, zij het dat deze gevaarzetting naar uiterlijke verschijningsvorm moet worden beoordeeld. Bovendien ligt het gezien de eerdere rechtspraak voor de hand dat het inderdaad niet hoeft te gaan om het gevaarzettende karakter dat de voorwerpen *naar hun aard* hebben. De concrete dan wel acute gevaarzetting kan immers – zoals in het Samir A.-arrest nog eens wordt bevestigd – ook worden afgeleid uit het gebruik van die voorwerpen voor een misdadig doel.

Om te voorkomen dat het opzetvereiste (de intentie) per saldo als enige reële beperking van de strafbaarheid overblijft, moet de rechtspraak naar mijn mening ook in de toekomst zwaar blijven tillen aan de objectieve factoren (de uiterlijke verschijningsvorm en het gebruik van de middelen). In dit verband is opvallend dat Rozemond op basis van onder meer het Samir A.-arrest suggereert dat de uiterlijke verschijningsvorm mogelijk geen zelfstandige betekenis meer heeft. Voorts vraagt Rozemond zich af hoe strikt het gebruikscriterium nog is. Een strikte toepassing van dit criterium op de casus van Samir A. zou wellicht tot de conclusie leiden dat er geen strafbare voorbereiding was, voor zover de verdachte de betreffende voorwerpen niet daadwerkelijk bij de voorbereiding had gebruikt.[246] Blijkbaar ziet Rozemond de genoemde factoren als cumulatieve voorwaarden die alle drie in volle omvang vervuld moeten zijn. Mijns inziens moeten de factoren veeleer worden gezien als omstandigheden aan de hand waarvan – alles afwegend – beoordeeld moet worden of er sprake is van een kennelijke bestemming. Het prille stadium waarin het gebruik verkeerde

---

242 Zie ook Keulen 2009a, p. 50.
243 Zie hoofdstuk 2, § 4.
244 Vgl. Rozemond 2008, p. 100-101: de objectieve uitleg in het licht van de ratio van artikel 46 Sr (reële, objectieve gevaarzetting) is door de Hoge Raad gecasseerd in het Samir A.-arrest.
245 Zie hierover verder § 8.
246 Rozemond 2007a, p. 7-9.

zou dan eventueel gecompenseerd kunnen worden door de uiterlijke verschijningsvorm van de voorwerpen en het misdadige doel van de dader. Als de aard van de voorwerpen daarentegen naar uiterlijke verschijningsvorm in een bepaald geval – zoals in het Ford Transit-arrest – niet overduidelijk wijst op een criminele bestemming, dan kan dat mogelijk gecompenseerd worden door het (betrekkelijk vergevorderde) gebruik dan wel de (evidente) criminele intentie. Tot op zekere hoogte zouden de factoren mijns inziens dus kunnen fungeren als communicerende vaten.

De uitkomst van de zaak Samir A. valt naar mijn mening wel te billijken.[247] Ook in een (gematigd) objectieve benadering lijkt het verdedigbaar dat hier sprake was van voorwerpen die naar hun uiterlijke verschijningsvorm kennelijk bestemd waren tot het plegen van een aanslag.[248] Zou de terroristische bestemming van de betreffende voorwerpen en geschriften – in hun gezamenlijkheid beschouwd – niet in het oog springen bij de gemiddelde rechtsgenoot die deze spullen in de slaapkamer van de verdachte zou aantreffen?[249] Bovendien kan uit het arrest van het hof worden afgeleid dat de verdachte verschillende mogelijke doelwitten heeft geobserveerd en dat hij (actief) verschillende spullen heeft verworven en heeft geprobeerd om daarmee (zelf) een explosieve constructie te vervaardigen.[250] Daarvan uitgaande kan worden gesteld dat hij wel degelijk *daadwerkelijk* bepaalde handelingen heeft verricht ter *voorbereiding* van een aanslag.

247 Daarmee is overigens niet gezegd dat een andere uitkomst niet te billijken zou zijn. Vgl. Rozemond 2008, p. 101, die stelt dat '(...) ook in de opvattingen van Gritter en Sikkema een aanwijsbare subjectivering plaatsvindt'. Hierbij kan worden aangetekend dat wij in Gritter & Sikkema 2006 (p. 289) – anders dan Rozemond suggereert – geen instemming hebben betuigd met het arrest van het hof in de zaak Samir A. Wij hebben slechts aangegeven dat dit arrest zo kan worden gelezen dat er volgens het hof (nog) geen sprake was van daadwerkelijke voorbereiding. In Gritter & Sikkema 2008 hebben wij vervolgens geschreven dat wij wel kunnen leven met het arrest van de Hoge Raad, waarbij het genoemde arrest van het hof werd gecasseerd. Van een 'opmerkelijke omslag' in onze opvattingen (vgl. Rozemond 2008, p. 101) waren wij ons dan ook niet bewust. Los daarvan lijkt het mij geenszins uitgesloten dat de toepassing van een bepaald criterium (mede afhankelijk van de waardering van de feiten) tot verschillende redelijke uitkomsten kan leiden, die alle begrijpelijk en verdedigbaar kunnen zijn.

248 De Roos vraagt zich met name ten aanzien van de steekwapens, portofoon, geluiddemper enz. af, of deze door het hof niet al te snel buiten beschouwing waren gelaten; zie Th.A. de Roos, 'Samir A. – absoluut ondeugdelijke voorbereiding?', *AA* 2007, p. 694-695.

249 Zie voor een sterk vergelijkbare zaak Rb. Rotterdam 12 april 2010, *LJN* BM0727. De verdachte had op zijn zolderkamer diverse voorwerpen, stoffen en informatiedragers voorhanden, waaronder verschillende 'pyrotechnische mengsels', grondstoffen voor springstoffen en materialen geschikt om een ontploffing teweeg te brengen; diverse schakelaars en/of elektrische circuitjes; één of meer vuurwapens; diverse landkaarten en foto's van o.a. Botlek, de HSL, diverse gebouwen, schepen en evenementen; een kogelwerend vest, tie-wraps, een portofoon en een bivakmuts; en een losgeldbrief. Onder verwijzing naar het Samir A.-arrest oordeelt de rechtbank: 'Uitgaande van de indruk die deze voorwerpen naar algemene ervaringsregels op de gemiddelde rechtsgenoot maken, kan deze opsomming van voorwerpen, chemicaliën en informatiedragers die onder verdachte zijn aangetroffen, naar het oordeel van de rechtbank niet tot een andere conclusie leiden dan dat deze waren bestemd om ernstige misdrijven mee te plegen'.

250 Zie de overwegingen 9.6.4 en 9.6.5 van het arrest van het hof. Het initiatief tot deze gedragingen lijkt van de dader zelf te zijn uitgegaan. In dit opzicht verschilt deze zaak bijvoorbeeld van het Brief in jaszak-arrest (HR 17 februari 2004, *NJ* 2004, 400, *LJN* AN9358; zie § 3.3 en § 7.3). Reijntjes noemt in zijn noot bij dat arrest als een mogelijk relevante factor voor het bewijs (van het opzet) de vraag of de verdachte zelf het initiatief nam tot de verwerving van de middelen. Via de intentie (het misdadige doel) kan deze factor mijns inziens ook van belang worden geacht in het kader van de kennelijke bestemming. Men zou ook kunnen zeggen dat het verwerven of vervaardigen van voorwerpen eerder 'daadwerkelijke voorbereiding' zal opleveren dan het enkele voorhanden hebben daarvan.

7.5 Het schrappen van 'kennelijk'

Zoals gezegd is de wettelijke regeling van de strafbare voorbereiding in 2007 (opnieuw) gewijzigd. De wetswijziging is op papier van een bedrieglijke eenvoud: in artikel 46, eerste lid, vervalt het woordje 'kennelijk'.[251] Wat de precieze consequenties zullen zijn van deze aanpassing is echter (nog) onduidelijk.

De in de literatuur gegeven uitleg van 'kennelijk' is niet eenduidig, zo stelt de memorie van toelichting.

> 'Sommigen betogen dat uit de aard van de voorwerpen (etc.) de objectieve bestemming tot het criminele doel dient te blijken, anderen, waaronder De Hullu, betogen dat de criminele intentie van de dader mee mag tellen'.[252]

Bij de laatste interpretatie, zo vervolgt de toelichting, is de eis van de 'kennelijke bestemdheid' feitelijk overbodig naast de eis dat de dader opzet op de voorbereiding heeft. Verder wijst de toelichting erop dat de Hoge Raad geen hoge eisen stelt aan de 'kennelijkheid' van de criminele bestemming. Daarbij verwijst de toelichting naar het Mombakkes-arrest, waarin het ging om 'het voorhanden hebben van een bivakmuts en/of een of meer gestolen auto's in verband met een voorbereide overval'.[253] Het schrappen van het woordje 'kennelijk' in art. 46 Sr brengt volgens de toelichting ook een betere afstemming mee met art. 96 lid 2 onder 3° Sr: de strafbare voorbereiding of bevordering van een aantal misdrijven tegen de veiligheid van de staat, bestaande uit het voorhanden hebben van voorwerpen 'waarvan hij weet dat zij bestemd zijn tot het plegen van het misdrijf'. De duidelijkheid is verder van belang, zo stelt de toelichting, in verband met de strafbaarstelling van financiering van terroristische misdrijven. Van gelden die beschikbaar worden gehouden voor de financiering van aanslagen zal niet gemakkelijk kunnen worden gesteld dat de objectieve bestemming tot het criminele doel blijkt *uit de aard van het voorwerp*. Immers, zo vervolgt de toelichting, geld dat voor een goed doel beschikbaar wordt gehouden ziet er niet anders uit dan geld dat beschikbaar wordt gehouden voor een aanslag. Tot slot stelt de toelichting:

> 'De subjectieve bestemming, het opzet van de dader, is toereikend voor strafbaarheid. De eis van de subjectieve bestemming wordt thans en in de toekomst uitgedrukt door de formulering dat de dader opzettelijk voorwerpen bestemd tot het begaan van dat misdrijf voorhanden heeft.'[254]

In de Tweede Kamer is het verdwijnen van het begrip 'kennelijk' vrij kritisch ontvangen.[255] In reactie op vragen van de VVD-fractie stelt de minister dat de nieuwe delictsomschrijving duidelijk maakt dat het bewijs van de criminele bestemming tevens kan worden afgeleid uit het opzet van de voorbereider.[256] Dat de misdadige bestemming in de eigenschappen van het voorwerp besloten moet liggen, volgt niet uit de jurisprudentie, aldus de minister. Een zo beperkte interpretatie zou problematisch zijn in het licht van internationale verplichtingen

251 *Kamerstukken II* 2004/05, 30 164, nr. 2, p. 8.
252 *Kamerstukken II* 2004/05, 30164, nr. 3, p. 49.
253 HR 17 september 2002, *NJ* 2002, 626 (Mombakkes). Zie over dit arrest verder § 7.3.
254 *Kamerstukken II* 2004/05, 30164, nr. 3, p. 49.
255 *Kamerstukken II* 2005/06, 30 164, nr. 6, p. 8, 21 en 27-28.
256 *Kamerstukken II* 2005/06, 30 164, nr. 7, p. 11-12.

tot strafbaarstelling op het terrein van terrorisme. De voorgestelde verduidelijking voorkomt mogelijke misverstanden, ook inzake de implementatie van die internationale verplichtingen.[257] De minister stelt uitdrukkelijk dat het voorstel zijn grond *niet* vindt in de wens om de reikwijdte van het artikel wezenlijk bij te stellen. 'De grond is gelegen in een wens tot *verduidelijking van het geldend recht*' (mijn cursivering, ES).[258] De minister komt in dit verband nog eens terug op opmerking in de memorie van toelichting dat de subjectieve bestemming toereikend is voor strafbaarheid.[259] Wat nu als het voorwerp in de voorstelling van de dader wel kan bijdragen tot het misdrijf, maar naar objectieve maatstaven daartoe geheel ongeschikt is? Bij wijze van voorbeeld wordt gewezen op een casus die een sterke gelijkenis vertoont met de zaak van Samir A.: de dader heeft voorwerpen voorhanden waarmee hij een bom wil fabriceren, maar die niet een deugdelijke explosieve constructie kunnen opleveren. De minister stelt de betreffende kamerleden in dit opzicht gerust:

'[G]edragingen die in de voorstelling van de dader bedoeld zijn als voorbereiding van een ernstig misdrijf, maar die niet *daadwerkelijk* als *voorbereiding* van zo'n misdrijf beschouwd kunnen worden, vallen thans niet onder artikel 46 Sr en zullen daar ook na de voorgestelde aanpassing niet onder vallen. Dat volgt uit de constructie van artikel 46 Sr. De eerste eis die dat artikel stelt, is dat sprake is van *voorbereiding* van een misdrijf waarop naar de wettelijke omschrijving een gevangenisstraf van acht jaren of meer is gesteld. Wanneer gedragingen worden verricht die bedoeld zijn als voorbereiding van zo'n ernstig misdrijf, maar die feitelijk niet een dergelijke voorbereiding opleveren, is deze eis niet vervuld. Strafbaarheid kan eerst intreden (...) als de bewezen verklaarde gedragingen voorbereiding van een ernstig misdrijf opleveren (...)' (mijn cursivering, ES).[260]

Om strafbare voorbereiding aan te nemen zal kortom moeten worden vastgesteld dat de verdachte daadwerkelijk met het voorwerp een misdrijf heeft voorbereid.[261] Op de vraag of onder het gewijzigde artikel vereist zal zijn dat het voornemen van de dader zich al heeft geconcretiseerd naar tijd, plaats en doel van het beoogde misdrijf, antwoordt de minister dat het voorstel op dit punt geen wijziging brengt in de reikwijdte van het bestaande art. 46 Sr.[262]

'Ook nu behoeven (...) geen exacte gegevens vast te staan over het misdrijf waarop de voorbereidingshandelingen zijn gericht. Juist omdat het voorbereidingshandelingen betreft, is het doorgaans niet mogelijk om precies aan te duiden op welke wijze en wanneer het voorbereide misdrijf zou worden gepleegd (...). Wel moet duidelijk zijn om welk beoogd misdrijf het gaat'.[263]

257 *Kamerstukken II* 2005/06, 30 164, nr. 7, p. 55. Vgl. *Kamerstukken II* 2005/06, 30 164, nr. 12, p. 1: de wettelijke omschrijving suggereert dat *het karakter van het voorwerp* doorslaggevend is.
258 *Kamerstukken II* 2005/06, 30 164, nr. 7, p. 56. Zie in deze zin ook *Kamerstukken II* 2004/05, 30164, nr. 3, p. 6 en *Kamerstukken II* 2005/06, 30 164, nr. 12, p. 1-2.
259 Zie in dit verband ook *Kamerstukken II* 2005/06, 30 164, nr. 12, p. 1: uit de rechtspraak valt af te leiden dat veeleer de bedoeling van de dader bepalend is voor de bestemming van de voorwerpen.
260 *Kamerstukken II* 2005/06, 30 164, nr. 7, p. 56. Zie in dezelfde zin *Kamerstukken II* 2005/06, 30 164, nr. 7, p. 11-12 en *Kamerstukken II* 2005/06, 30 164, nr. 12, p. 1-2.
261 *Kamerstukken I* 2006/07, 30 164, D, p. 24.
262 *Kamerstukken II* 2005/06, 30 164, nr. 7, p. 56.
263 *Kamerstukken II* 2005/06, 30 164, nr. 12, p. 2.

De wetsgeschiedenis roept de nodige vragen op over de bedoeling van de wetgever.[264] Enerzijds wordt aangegeven dat men (slechts?) grotere duidelijkheid wil scheppen over de interpretatie van art. 46 Sr. Daarbij wordt verwezen naar de opvatting van De Hullu en naar de rechtspraak van de Hoge Raad (in het bijzonder naar het Mombakkes-arrest) over het bestaande art. 46 Sr. Uit de bedoelde literatuur en jurisprudentie kan echter geenszins worden afgeleid dat 'kennelijk' een *puur* subjectieve betekenis zou hebben. Er volgt slechts uit dat de intentie van de dader mag worden meegewogen, niet dat een enkele intentie voldoende zou zijn voor strafbaarheid.[265] Zo waren de betreffende auto's in het Mombakkes-arrest gebruikt voor het observeren van een geldwagen, waarbij op enig moment een 'voor vermomming geschikt voorwerp' op de achterbank lag.[266] Er was dus veel meer aan de hand dan alleen het voorhanden hebben van een auto en een bivakmuts.[267] In zijn door de minister aangehaalde werk merkt De Hullu op dat in de rechtspraak van de Hoge Raad niet alleen de intentie, maar ook de uiterlijke verschijningsvorm en het gebruik bij het oordeel over de bestemming worden betrokken. 'Voor een daadwerkelijke bestemming en serieuze voorbereiding is dan wel meer nodig dan de enkele intentie'.[268] In een dergelijke benadering is de kennelijke bestemming dus geenszins overbodig naast het opzetvereiste. Bovendien blijkt uit het voorgaande duidelijk dat de bestemming niet hoeft te blijken uit 'de aard van de voorwerpen', maar evenzeer kan worden gebaseerd op het gebruik van die voorwerpen en het misdadige doel dat de dader daarmee voor ogen had. De rechtspraak en literatuur geven dan ook geen enkele aanleiding tot het 'misverstand' dat de wetgever wil voorkomen, te weten dat de bestemming zou moeten blijken uit de eigenschappen of het karakter van het voorbereidingsmiddel.

Anderzijds wordt in de memorie van toelichting uitdrukkelijk gesteld dat de 'subjectieve bestemming' (het opzet van de dader) voortaan toereikend is voor strafbaarheid. Die laatste opmerking duidt ontegenzeggelijk op een ruime, puur subjectieve benadering.[269] De Hullu vraagt zich af of deze slotsom niet ver doorschiet.[270] In het bovenstaande is gebleken dat deze uitleg in elk geval niet in overeenstemming is met de jurisprudentie en literatuur over art. 46 (oud) Sr. Dit terwijl in de wetsgeschiedenis op verschillende plaatsen wordt opgemerkt dat met de wetswijziging een verduidelijking is beoogd van het geldende recht, niet een (wezenlijke) aanpassing van de reikwijdte van het artikel. Bovendien komen in de (latere) kamerstukken ook meer objectieve criteria voorbij, zoals de eis dat sprake moet zijn van 'daadwerkelijke voorbereiding'. Het lijkt er dus op dat aanvankelijke criteria in een latere fase van de parlementaire geschiedenis zo worden toegelicht dat zij van betekenis veranderen (van subjectief naar objectief).[271] Keulen heeft overigens terecht gewezen op de mogelijkheid dat de passage over de toereikendheid van de subjectieve bestemming moet worden gelezen in de context waarin deze figureert, te weten het beschikbaar houden van

---

264 Zie ook Lintz 2007, p. 205-207.
265 Zie § 7.2, § 7.3 en § 7.4.
266 HR 17 september 2002, *NJ* 2002, 626; zie verder § 7.3.
267 Zie ook Rozemond 2007a, p. 5.
268 De Hullu 2009, p. 402.
269 Zie ook Rozemond 2007a, p. 4.
270 De Hullu 2009, p. 402.
271 Rozemond 2007b, p. 490.

geld voor een aanslag. 'Zo gelezen wordt hier niet gesteld dat bij (alle) andere voorwerpen de subjectieve bestemming toereikend is'.[272]

Machielse stelt dat de discussie over het wetsvoorstel niet bijdraagt tot een verheldering van het leerstuk van de strafbare voorbereiding. Dat geldt meer in het bijzonder voor de beantwoording van de vraag hoe subjectief de strafbare voorbereiding moet zijn en hoe het leerstuk van de ondeugdelijkheid moet worden ingevuld.[273] De wetsgeschiedenis kan in deze opzichten innerlijk tegenstrijdig en verwarrend worden genoemd, hetgeen de grotere duidelijkheid die wordt nagestreefd niet ten goede komt. Dit had volgens Rozemond kunnen worden voorkomen wanneer de minister zich beter had verdiept in de rechtspraak van de Hoge Raad over de kennelijke bestemming. Deze auteur vraagt zich af wat de zin is geweest van het schrappen van het bestanddeel 'kennelijk' en spreekt over een 'overbodige wetgevingsoperatie'.[274]

7.6 Daadwerkelijke voorbereiding; art. 46 (nieuw) Sr

Op grond van de eerder behandelde ratio van art. 46 Sr, de wetsgeschiedenis, de literatuur en de rechtspraak moet naar mijn mening worden aangenomen dat het woord 'kennelijk' in art. 46 (oud) Sr een objectiverende betekenis had.[275] Dit bestanddeel zorgde hier dus voor een *beperking* van de strafbaarheid; het impliceerde een *verzwaring* van de bewijslast. Het was niet voldoende dat de criminele bestemming van de voorbereidingsmiddelen (de intentie van de dader) vast kwam te staan. Deze bestemming moest bovendien op grond van uiterlijk waarneembare omstandigheden duidelijk zijn voor de gemiddelde rechtsgenoot. Hiervan uitgaande lijkt het schrappen van dit woord op het eerste gezicht een verlichting van de bewijslast en een verruiming van de strafrechtelijke aansprakelijkheid mee te brengen. De objectieve kennelijkheidseis komt hierdoor immers te vervallen, zodat de enkele subjectieve bestemming (het opzet van de dader) doorslaggevend lijkt te worden. Zo stelt Prakken dat door het vervallen van het woordje 'kennelijk' aan de strafbaarheid van voorbereidingshandelingen 'het laatste objectieve criterium' lijkt te worden ontnomen. 'De weg naar een intentiestrafrecht lijkt hiermee definitief open'.[276] Janssen is van mening dat een algehele strafbaarstelling van de kwade intentie behoorlijk dichtbij komt.[277] Rozemond spreekt mede naar aanleiding van deze wetswijziging van een 'subjectivering' van het Nederlandse strafrecht.[278]

Eerder heb ik zelf samen met Gritter daarentegen gepleit voor een andere interpretatie van het gewijzigde art. 46 Sr, waarin het objectieve karakter van deze strafbaarstelling ook in de toekomst behouden kan blijven.[279] Mijns inziens hoeft het schrappen van het woordje 'kennelijk' niet per definitie een daadwerkelijke verruiming van de aansprakelijkheid op te leveren. Het 'objectieve' karakter van deze strafbaarstelling schuilt naar mijn mening

---

272 Keulen 2009a, p. 48.
273 Zie punt 8.1.3 van de conclusie van A-G Machielse voor het Samir A.-arrest (HR 20 februari 2007, *LJN* AZ0213; zie verder § 7.4).
274 Rozemond 2007b, p. 491.
275 Zie hoofdstuk 2, § 4. Zie verder § 7.2, § 7.3 en § 7.4.
276 T. Prakken, 'Naar een cyclopisch (straf)recht', *NJB* 2004, p. 2338 e.v.
277 S.L.J. Janssen, 'De strafbare intentie is bijna een feit', *NJB* 2006, p. 1005.
278 Rozemond 2007a, p. 1.
279 Gritter & Sikkema 2006, p. 296 e.v; Gritter & Sikkema 2008, p. 99-100.

niet exclusief in de 'kennelijkheid' van de bestemming, maar mede – en na het schrappen van 'kennelijk' uitsluitend – in iets anders. Voor strafbaarheid dient niet slechts te worden vastgesteld dat de dader (bijvoorbeeld) – met de intentie een misdrijf te plegen – een zeker voorwerp voorhanden heeft gehad. Daarnaast moet worden vastgesteld, dat *daadwerkelijk* een bepaald misdrijf is *voorbereid.*

Dit standpunt behoeft nadere uitleg. In de eerste plaats kan worden gewezen op de rechtspraak van de Hoge Raad over art. 46 (oud) Sr. Naar mijn mening kan daar niet uit worden afgeleid dat het enkele voorhanden hebben van een op zichzelf beschouwd onschuldig voorwerp (zoals een auto), gecombineerd met een criminele intentie, leidt tot strafbaarheid. In de betreffende arresten lag de nadruk immers op het daadwerkelijke *gebruik* van de betreffende voorwerpen (observatie, 'afleggen') voor het criminele doel. De Hoge Raad erkent weliswaar dat het misdadige doel dat de dader voor ogen had (de intentie) een rol kan spelen, maar daarnaast moet worden gelet op de uiterlijke verschijningsvorm en het gebruik van het voorwerp. Uit de rechtspraak blijkt kortom geenszins dat de enkele intentie voldoende is voor strafbaarheid. Zelfs als de kennelijke bestemming van het middel op het eerste gezicht wel vast lijkt te staan – bijvoorbeeld als het gaat om een niet-onschuldig voorwerp, zoals een brief met een overvalplan – zal het enkele voorhanden hebben daarvan niet zonder meer leiden tot strafbare voorbereiding.[280] Aangezien in de wetsgeschiedenis herhaaldelijk wordt benadrukt dat met het schrappen van 'kennelijk' een verduidelijking van het geldende recht wordt beoogd, en niet een wezenlijke bijstelling van de reikwijdte van het artikel, blijft deze rechtspraak over art. 46 (oud) Sr van belang voor de interpretatie van het gewijzigde artikel.[281]

In de tweede plaats is het stellen van nadere eisen aan het voorbereidende karakter van de verrichte handelingen in overeenstemming met de ratio van art. 46 Sr. Zoals eerder werd gesteld schuilt deze ratio in het objectief te bepalen gevaarzettende karakter van uiterlijk gedrag.[282] De eis van daadwerkelijke voorbereiding sluit aan bij het uitgangspunt dat de reële, objectieve gevaarzetting voor de rechtsorde en de samenleving hier centraal staat. Het toereikend achten van de subjectieve bestemming – het opzet van de dader – zou met deze ratio in strijd zijn, aangezien ook objectief gezien volstrekt onschuldige gedragingen dan tot strafbaarheid zouden kunnen leiden.[283] Daarbij kan bijvoorbeeld worden gedacht aan de situatie waarin iemand het voornemen heeft om met een mes of een hamer een moord te plegen, terwijl hij dat voorwerp reeds (in zijn keukenla of zijn gereedschapskist) voorhanden heeft. Tegen een dergelijke ruime uitleg zijn volgens Rozemond allerlei praktische en principiële bezwaren aan te voeren. Zo acht hij het onmogelijk om een voornemen strafbaar te stellen dat zich op geen enkele wijze heeft geopenbaard. Nu het praktisch on-

---

280 Zie HR 17 februari 2004, *NJ* 2004, 400, *LJN* AN9358 (Brief in jaszak) en daarover § 3.3 en § 7.3, ook over de vraag of de brief nu inderdaad kennelijk bestemd was tot het plegen van een overval.

281 Zie § 7.5. Rozemond (2007a, p. 7) stelt – in reactie op Gritter & Sikkema 2006 – dat de eis van daadwerkelijke voorbereiding niet uit de besproken rechtspraak volgt en dat in die rechtspraak ook geen nadere uitleg van dat begrip te vinden is. De strekking van ons betoog was echter geenszins dat de Hoge Raad expliciet het criterium van de daadwerkelijke voorbereiding zou hebben gehanteerd of zelfs nader zou hebben ingevuld (Gritter & Sikkema 2006, p. 296-300). Wij hebben slechts getracht aan te geven waar de ondergrens van de aansprakelijkheid ligt. De maatstaf van de daadwerkelijke voorbereiding kan vervolgens naar onze mening inzicht verschaffen in de vraag waarom in het ene geval (Mombakkes, Ford Transit) wél sprake is van strafbare voorbereiding, en in het andere geval (Brief in jaszak) niet.

282 Zie hoofdstuk 2, § 4.

283 Zie ook § 7.2.

mogelijk is om een onkenbare voorbereiding op te sporen, heeft een strafbaarstelling van de 'subjectieve bestemming' geen zin. Voorts merkt Rozemond op dat het enkele voornemen op zichzelf onvoldoende gevaarzettend is om strafrechtelijk ingrijpen te rechtvaardigen.[284] De eis van daadwerkelijke voorbereiding kan in de derde plaats worden teruggevoerd op de tekst van art. 46 Sr. De bepaling stelt immers met zoveel woorden primair de *voorbereiding* van bepaalde misdrijven strafbaar: 'Voorbereiding (…) is strafbaar, wanneer (…)'. De nader in art. 46 Sr omschreven voorbereidingshandelingen (zoals het voorhanden hebben) betreffen naar mijn mening gedragingen ten aanzien van voorbereidingsmiddelen, die *daartoe* (dus in het kader van de daadwerkelijke voorbereiding van een delict) zijn aangewend.[285] De idee dat een ogenschijnlijk kwalificerend begrip als 'voorbereiding' in art. 46 Sr een functie kan vervullen in de nadere bepaling van de strafbaarheid, is overigens (buiten het kader van de strafbare voorbereiding) geenszins nieuw. Zo moet volgens Pompe voorop worden gesteld dat de bestanddelen van een wettelijke omschrijving gezamenlijk het strafbare feit vormen, maar hij voegt daar aan toe dat de (bestand)delen hun betekenis mede ontlenen aan het geheel.[286] Onder omstandigheden is het denkbaar dat een wettelijke kwalificatie de strafbaarheid kan beperken. 'Het geheel is meer dan de som der deelen', aldus Pompe.[287] In de hier verdedigde opvatting wordt met andere woorden aangesloten bij de 'Typizität' van de strafbare voorbereiding.[288]

In deze 'typologische benadering' zal, indien het bewezen verklaarde niet aan het karakter van de delictsbepaling beantwoordt, tot een ontslag van alle rechtsvervolging wegens niet strafbaarheid van het feit moeten worden geconcludeerd. In de praktijk zal het ontbreken van het bewijs voor het 'voorbereidende karakter' van de voorbereidingshandelingen echter leiden tot vrijspraak, omdat vastgesteld kan worden dat het openbaar ministerie in een tenlastelegging ten aanzien van strafbare voorbereiding standaard de woorden 'ter voorbereiding' opneemt. Indien uit de bewijsmiddelen niet kan volgen dat de concrete voorbereidingshandelingen strekten 'ter voorbereiding' van de omschreven misdrijven, zal dus tot vrijspraak moeten worden geconcludeerd.[289]

7.7 Recente rechtspraak

In het bovenstaande is gebleken dat naar aanleiding van het vervallen van 'kennelijk' in 2007 een discussie is ontstaan over de reikwijdte van art. 46 Sr. Het is nu uiteraard de vraag hoe in de rechtspraak over deze kwestie zal worden geoordeeld. Is er sprake van een overwegend subjectieve dan wel een overwegend objectieve toets? Sinds het arrest in de Samir A.-zaak is er nog geen nieuwe rechtspraak van de Hoge Raad gepubliceerd over dit onderwerp.

---

284 Rozemond 2007b, p. 488-491.
285 Vgl. Keulen 2009a, p. 49.
286 W.P.J. Pompe, *Handboek van het Nederlandse strafrecht*, Zwolle: Tjeenk Willink 1959, p. 75.
287 Noot onder HR 21 februari 1938, *NJ* 1938, 929. Vgl. J. Remmelink, *Mr. D. Hazewinkel-Suringa's Inleiding tot de studie van het Nederlandse Strafrecht*, Deventer: Gouda Quint 1996, p. 129, hoofdtekst en voetnoot 1. Hoewel Remmelink in verband met de rechtszekerheid voorzichtigheid geboden acht bij een dergelijke benadering van de strafbaarheid, zou hij '(...) bij een volstrekt onbevredigende uitkomst wèl willen pleiten voor een lezing (uitleg) van de tekst, die zoveel mogelijk gaat in de richting van typering van het onrecht, dat de wetgever kennelijk heeft willen bestrijden' (Hazewinkel-Suringa/Remmelink 1996, p. 130).
288 Vgl. Kelk 2010, p. 93-94. Zie voor een recent voorbeeld van een vergelijkbare benadering in de rechtspraak van de Hoge Raad diens arrest van 26 oktober 2010, *NJ* 2010, 655: niet elke gedraging die in art. 420bis en 420quater Sr is omschreven rechtvaardigt in alle gevallen de *kwalificatie* '(schuld)witwassen'.
289 Gritter & Sikkema 2006, p. 299-300.

De feitenrechtspraak laat een divers beeld zien. Van een algemene 'subjectiveringstendens' is volgens Van Sliedregt vooralsnog geen sprake.[290]
Als voorbeeld van een geval waarin wél sprake is van 'subjectivering' wijst Van Sliedregt op een vonnis van de Rechtbank Amsterdam van 3 maart 2009.[291] Volgens de tenlastelegging had de verdachte (kort gezegd) ter voorbereiding van diefstal met geweld en/of afpersing twee vuurwapens, munitie, drie tie-wraps, twee helmen, twee paar handschoenen, een motorfiets, een tang en een mobiele telefoon voorhanden, kennelijk bestemd tot het in vereniging begaan van dat misdrijf.[292] De rechtbank stelt voorop dat het criterium uit het Samir A.-arrest moet worden toegepast: konden de voorwerpen afzonderlijk dan wel gezamenlijk naar uiterlijke verschijningsvorm dienstig zijn voor het misdadige doel dat verdachte voor ogen stond? Naar het oordeel van de rechtbank kan uit de combinatie en onderlinge samenhang van de aangetroffen voorwerpen (in het bijzonder de geladen vuurwapens) en het waargenomen gedrag van verdachten worden afgeleid dat zij het voornemen hadden om een overval te plegen. Nu de verdachte tijdens zijn aanhouding had gezegd dat de verbalisanten 'alleen maar voorbereidingshandelingen hebben', acht de rechtbank niet aannemelijk dat bij hem geen enkele 'criminele intentie' aanwezig zou zijn geweest. De rechtbank acht de tenlastegelegde voorbereiding dan ook bewezen.
Het gedrag van de verdachte en zijn medeverdachte bestond in dit geval kort gezegd in het doelloos heen en weer lopen en met elkaar praten, met een motorhelm in de hand en een zwarte capuchon over het hoofd getrokken. Het gebruik van de middelen was beperkt tot het bij zich dragen van wapens en het aan hebben van dubbele kleding.[293] De verdachte had niet verklaard over het beoogde misdrijf, zodat in zoverre niet bekend was wat (precies) zijn intentie was.[294] Het misdadige doel kon dus niet worden vastgesteld onafhankelijk van de indruk die de aard en het gebruik van de voorwerpen naar uiterlijke verschijningsvorm wekten.[295] 'Dat de verdachten niet veel goeds in de zin hadden is uit de bewijsmiddelen af te leiden, maar wat ze precies van plan waren, wordt niet duidelijk'.[296] Daarbij moet worden opgemerkt dat het in dit geval niet (alleen) ging om alledaagse gebruiksvoorwerpen, maar ook om geladen vuurwapens. Zoals al eerder werd opgemerkt kunnen ook vuurwapens echter voor verschillende doeleinden worden gebruikt.[297] Weliswaar zijn de aangetroffen voorwerpen geschikt voor het plegen van het in de tenlastelegging vermelde misdrijf (diefstal met geweld en/of afpersing), maar dat wil nog niet zeggen dat zij niet voor een ander (crimineel) doel bestemd zouden kunnen zijn. Daarbij zou bijvoorbeeld kunnen worden

---

290 E. van Sliedregt, 'Strafbare voorbereiding na Samir A. Daadwerkelijke voorbereiding?', *AA* 2010, p. 891.
291 Rb. Amsterdam 3 maart 2009, *LJN* BI0722.
292 Opvallend is dat het woord 'kennelijk' is opgenomen in de tenlastelegging en de bewezenverklaring, terwijl dat bestanddeel ten tijde van de gedraging al was geschrapt; zie ook Van Sliedregt 2010, p. 894-895. Dat was ook het geval in het hierna nog te bespreken Rb. Amsterdam 19 maart 2009, *LJN* BH7560. In beide gevallen was ook het in 2002 geschrapte bestanddeel 'in vereniging' overigens ten laste gelegd.
293 Van Sliedregt 2010, p. 894. In dat opzicht verschilt deze zaak van bijv. Rb. Utrecht 18 januari 2011, *LJN* BR0012, waarin de verdachten in een gestolen auto en voorzien van 'overvalattributen' (bivakmutsen, pistool, stroomstootwapen, handschoenen enz.) achter een geldauto aanreden.
294 Van Sliedregt 2010, p. 894.
295 In dat opzicht verschilt deze zaak van bijv. Gerechtshof 's-Hertogenbosch 25 maart 2010, *LJN* BL9914, waarin de verdachte had verklaard dat hij met de medeverdachte had gesproken over een overval plegen, hetgeen werd bevestigd door de tot het bewijs gebezigde telefoongesprekken en sms-berichten.
296 Van Sliedregt 2010, p. 894.
297 Zie § 7.2.

gedacht aan een gijzeling.[298] In het voorbereidingsstadium lijkt weliswaar niet nodig dat tijd en plaats nader bepaald zijn[299], maar het zal in elk geval wel duidelijk moeten zijn op welk delict de intentie gericht is. Anders kan immers ook niet worden vastgesteld dat het een misdrijf betreft waarop acht jaar of meer gevangenisstraf is gesteld.[300]

Dezelfde rechtbank lijkt volgens Van Sliedregt een heel andere benadering te kiezen in een vonnis van 19 maart 2009.[301] In dit geval werd de verdachte vervolgd voor het ter voorbereiding van diefstal met geweld (en/of afpersing) voorhanden hebben van een auto en een telefoon. De rechtbank neemt dan ook tot uitgangspunt dat het hier gaat om alledaagse gebruiksvoorwerpen. Daarom ligt de nadruk hier volgens de rechtbank op de intentie van de verdachte en de indruk die het handelen maakt. De gedragingen van de (mede)verdachte moeten volgens de rechtbank op de 'gemiddelde omstander' een zeer verdachte of alarmerende indruk maken. Over de intentie merkt de rechtbank op dat sprake moet zijn van een 'objectiveerbare vaste wilsgerichtheid' tot het plegen van (in casu) een overval. Het 'afleggen' door de medeverdachte heeft in dit geval geen resultaat opgeleverd en er moet derhalve van worden uitgegaan dat 'nog slechts' sprake is geweest van een niet strafbare inventarisatie van de situatie ter plaatse. Met Van Sliedregt kan men zich afvragen of de objectieve toetsing in deze zaak niet te streng uitvalt in het licht van eerdere jurisprudentie (met name het Ford Transit-arrest). De intentie leek in dit geval wel duidelijk, nu de verdachte tegen zijn medeverdachte had gezegd dat ze een leverancier van sieraden volgende week zouden 'pakken'. Bovendien was er gebeld en geobserveerd ('afgelegd') vanuit een auto in de nabijheid van een juwelier.[302] Gelet daarop zouden het misdadige doel van de verdachte en het gebruik van de voorwerpen mogelijk de naar uiterlijke verschijningsvorm neutrale en onschuldige aard van de middelen kunnen 'compenseren'.

De Rechtbank Middelburg kiest in een vonnis van 21 mei 2010 expliciet voor een subjectieve benadering.[303] De rechtbank overweegt dat voor een bewezenverklaring van voorbereiding (onder meer) sprake moet zijn van opzet op een *specifiek* misdadig doel en zegt daar verder het volgende over:

---

298 Vgl. Rb. Rotterdam 12 april 2010, *LJN* BM0727: uit het aantreffen van een (concept losgeld)brief in combinatie met aangetroffen vuurwapens, portofoons en tie-wraps, blijkt naar het oordeel van de rechtbank dat de verdachte een gijzeling dan wel opzettelijke vrijheidsberoving voorbereidde. Vgl. anderzijds ook Rb. Haarlem 8 augustus 2011, *LJN* BT1656: het dragen van handschoenen, het hebben van een capuchon over het hoofd, het wisselen van broek en het (verborgen) meenemen van een wapen duidt volgens de rechtbank naar uiterlijke verschijningsvorm op de voorbereiding van een diefstal met geweld en/of afpersing en niet, zoals de officier van justitie meent, op een gijzeling.
299 Vgl. Rb. Rotterdam 12 april 2010, *LJN* BM0727.
300 Van Sliedregt 2010, p. 890, voetnoot 7. Zie ook Rb. Haarlem 4 februari 2010, *LJN* BL5765 en *LJN* BL5772 (COPEX): niet kan worden gezegd dat de verdachten de voorwerpen voorhanden hadden met het oogmerk een misdrijf te begaan waarop naar de wettelijke omschrijving een gevangenisstraf van acht jaren of meer is gesteld. Naar het oordeel van de rechtbank is het misdadig doel van de verdachten geweest het medeplegen van verduistering in dienstbetrekking (art. 322 Sr), waarvoor een gevangenisstraf van ten hoogste vier jaar kan worden opgelegd. Zie verder Rb. Roermond 30 november 2010, *LJN* BO5393: het opzet van verdachte was gericht op het inbreken op een tijdstip dat het beoogde slachtoffer niet thuis was, zijnde een feit waar zes jaar gevangenisstraf op staat en waarbij uit dien hoofde geen sprake kan zijn van strafbare voorbereidingshandelingen. Zie tot slot nog het hieronder nog te bespreken vonnis van de Rechtbank Middelburg van 21 mei 2010, *LJN* BM6806.
301 Rb. Amsterdam 19 maart 2009, *LJN* BH7560.
302 Van Sliedregt 2010, p. 895-896.
303 Rb. Middelburg 21 mei 2010, *LJN* BM6806.

'Dit laatste ziet op de bestemming van de voorbereidingsmiddelen, waarbij de subjectieve bestemming, dat wil zeggen de intentie van de dader, bepalend is voor de strafbaarheid. Van belang is dan ook op wélk misdrijf de voorbereidingshandelingen betrekking hadden. In casu staat een enigszins geconcretiseerd plan, in het bijzonder de gerichtheid op een bepaald delict, niet vast'.

In het onderhavige geval wijzen de omstandigheden volgens de rechtbank wel degelijk in de richting van 'een' misdadig doel. De verdachten bevonden zich midden in de nacht in een auto met gestolen kentekenplaten, terwijl zich in de auto onder meer handschoenen, bivakmutsen, vuurwapens en munitie bevonden. Niet kan echter worden vastgesteld welk specifiek misdadig doel de verdachten voor ogen zouden hebben gehad en dus ook niet of dit een misdrijf als genoemd in de tenlastelegging (diefstal met geweld en/of afpersing en/of diefstal in vereniging met braak) betreft. De aangetroffen voorwerpen kunnen namelijk voor tal van (strafbare) handelingen gebruikt worden.[304] De verdachte wordt daarom vrijgesproken.

Uit het bovenstaande blijkt nog eens dat voor een veroordeling op grond van art. 46 Sr van cruciaal belang is of kan worden vastgesteld wat het specifieke misdadige doel van de daders was.[305] Dat wil zeggen dat (het opzet op) de criminele bestemming betrekking moet hebben op een in de tenlastelegging vermeld misdrijf, waarop acht jaar of meer gevangenisstraf is gesteld. In zoverre is de formulering van de tenlastelegging dus bepalend bij het vaststellen van het misdadige doel en de bestemming van de voorbereidingsmiddelen. In een recent arrest overweegt de Hoge Raad dat in een op art. 46 Sr toegesneden tenlastelegging duidelijk tot uitdrukking moet worden gebracht op welk hoofdfeit de voorbereidingshandelingen waren gericht.[306] Dit betekent niet dat alle wettelijke bestanddelen van dat hoofdfeit in de tenlastelegging moeten worden opgesomd, mits maar voldoende duidelijk is op welk feit de voorbereiding was gericht, zo stelt de Hoge Raad onder verwijzing naar het Mombakkes-arrest.[307] Voorts moet – in geval van bewezenverklaring – in de kwalificatie tot uitdrukking worden gebracht op welk hoofdfeit de voorbereiding betrekking heeft. De Hoge Raad merkt verder op dat het goed denkbaar is dat ten tijde van het opstellen van de tenlastelegging onzeker is op welk hoofdfeit (of welke hoofdfeiten) de voorbereiding betrekking had.

'Die moeilijkheid kan echter worden opgelost door het opstellen van een cumulatieve, alternatieve onderscheidenlijk subsidiaire tenlastelegging die – in geval van bewezenverklaring – ook bij

---

304 De verklaring van één van de medeverdachten, inhoudende dat de verdachten van plan waren in te breken in een school, acht de rechtbank onbetrouwbaar. Daarbij laat ze in het bijzonder meewegen dat er kennelijk een delict wordt bekend dat gelet op het strafmaximum van zes jaren de strafbaarheid zou ontnemen aan de voorbereidingshandelingen.
305 Zie ook Rb. Amsterdam 1 juni 2011, *LJN* BR0272: er zal een voldoende geconcretiseerd misdadig doel moeten blijken dat verdachten voor ogen hebben gehad. De rechtbank citeert daarbij de volgende passage uit De Hullu 2009, p. 405: 'Wanneer mensen zich bijvoorbeeld met vermommingen en wapens in een auto met draaiende motor bevinden, kan daaruit (...) meestal wel worden afgeleid dat zij slechte plannen hebben, maar nog niet zonder meer welke plannen dat zijn. En een enigszins geconcretiseerd plan – in het bijzonder de gerichtheid op een bepaald delict – moet wel worden vastgesteld voor het opzet van de strafbare voorbereiding'.
306 HR 5 april 2011, *LJN* BO6691.
307 HR 17 september 2002, *LJN* AE4200, *NJ* 2002, 626 (Mombakkes). Zie ook § 7.3.

het kwalificeren van het bewezene geen aanleiding geeft tot moeilijkheden. (...) Daarbij verdient nog opmerking dat in het algemeen geldt dat een zogenoemde alternatieve bewezenverklaring toelaatbaar is voor zover een keuze uit de in de tenlastelegging alternatief vermelde kwalificaties voor de strafrechtelijke betekenis van het feit van geen belang is. Een dergelijk belang is in ieder geval aanwezig indien aan de alternatieven ongelijke strafmaxima zijn verbonden'.

In het onderhavige geval had het hof ten onrechte in de bewezenverklaring opgenomen dat het de voorbereiding betrof van 'een diefstal met geweld in vereniging en/of een afpersing met geweld in vereniging en/of een opzettelijke vrijheidsberoving in vereniging'. Voor het geval zou moeten worden aangenomen dat het hier om een alternatieve tenlastelegging gaat, had het hof uit de alternatief vermelde hoofdfeiten een keuze moeten maken, omdat de in art. 312 en 317 Sr bedreigde gevangenisstraf (ten hoogste twaalf jaren) hoger is dan de in art. 282 Sr bedreigde gevangenisstraf (ten hoogste acht jaren).

Volgens Van Sliedregt laten de door haar besproken uitspraken zien dat het Samir A.-criterium meerduidig is: het biedt aanknopingspunten voor zowel een subjectieve als een objectieve interpretatie. Het wachten is dan ook op een nieuw richtinggevend arrest.[308] Overigens blijkt uit het hierboven besproken vonnis van de Rechtbank Middelburg dat een subjectieve benadering – vooral in zaken met een ontkennende verdachte – zeer wel kan leiden tot resultaten die ook in een (gematigd) objectieve visie bevredigend zouden worden geacht. Dat hoeft ook niet te verbazen, gezien de nauwe samenhang die bestaat tussen het bewijs van het opzet enerzijds en de criminele bestemming (dan wel daadwerkelijke voorbereiding) anderzijds.[309] Het verschil tussen beide opvattingen komt pas echt op scherp te staan in de situatie dat er geen twijfel bestaat over de intentie, doch die intentie slechts gepaard gaat met gedragingen en voorwerpen die naar uiterlijke verschijningsvorm volstrekt onschuldig zijn.[310]

7.8 Conclusie

In de hier bepleite interpretatie leidt het schrappen van het begrip 'kennelijk' niet tot een 'subjectivering' van de delictsbepaling en is geen sprake van een verruiming van de aansprakelijkheid. Deze wetswijziging laat immers onverlet dat hetgeen is verricht *daadwerkelijk* moet zijn gericht op de *voorbereiding* van een misdrijf. Hoewel eerder is gebleken dat de wetsgeschiedenis op dit punt tegenstrijdig en verwarrend is, heeft de wetgever zich (uiteindelijk) uitdrukkelijk bij deze opvatting aangesloten.[311] De gevolgen van deze wijziging van art. 46 Sr lijken dus uiterst gering.[312] Bij de invulling van het criterium van daadwerkelijke voorbereiding kan de rechtspraak van de Hoge Raad met betrekking tot het begrip 'kennelijk' in art. 46 (oud) Sr zoals gezegd een rol blijven vervullen.[313] Dat wil zeggen dat voor de beantwoording van de vraag of sprake is van daadwerkelijke voorbereiding doorslaggevend

---

308 Van Sliedregt 2010, p. 896.
309 Zie § 3.2 en § 7.2.
310 Zie verder § 7.8 en hoofdstuk 4, § 4.
311 *Kamerstukken I* 2006/07, 30 164, C, p. 10; *Kamerstukken I* 2006/07, 30 164, D, p. 24. Zie nader § 7.5. Zie ook Rozemond 2007b, p. 490; M.J. Borgers, *De vlucht naar voren* (oratie VU), Den Haag: BJu 2007, p. 31, voetnoot 89; Keulen 2009a, p. 49.
312 Vgl. Lintz 2007, p. 209.
313 Vgl. ook Rozemond 2007b, p. 490.

blijft of de voorbereidingsmiddelen *naar hun uiterlijke verschijningsvorm* dienstig konden zijn voor het *misdadige doel* dat de verdachte met het *gebruik* van de voorwerpen voor ogen had.[314] Uit de besproken recente rechtspraak blijkt dat deze factoren in veel gevallen inderdaad (nog steeds) expliciet worden gehanteerd.[315]

Als sprake is van 'vergevorderde' voorbereidingshandelingen, die in tijd en plaats relatief dicht tegen de uitvoering van het misdrijf aanliggen, zal over de strafbaarheid uiteraard weinig discussie ontstaan.[316] Voor dergelijke 'Grenswisselkantoor-achtige' situaties is art. 46 Sr nu immers bij uitstek in het leven geroepen.[317] De rechtspraak lijkt echter niet de eis te stellen dat het beoogde misdrijf naar tijd, plaats en object nader is geconcretiseerd.[318] Wél zal duidelijk moeten zijn dat de voorbereidingshandelingen betrekking hebben op een in de tenlastelegging vermeld misdrijf, waarop acht jaar of meer gevangenisstraf is gesteld. Dit specifieke misdadige doel – de intentie van de dader – moet naar uiterlijke verschijningsvorm worden beoordeeld en zal dus uit objectieve omstandigheden moeten blijken.[319] Als iemand het voornemen heeft om een ander van het leven te beroven met een voorwerp dat hij voorhanden heeft, bijvoorbeeld een mes dat in een keukenla ligt of een hamer die zich in een gereedschapskist bevindt, zal in deze benadering (nog) geen sprake zijn van daadwerkelijke voorbereiding. Er is weliswaar sprake van een misdadig doel, maar het mes of de hamer is niet naar uiterlijke verschijningsvorm bestemd tot het begaan van een misdrijf en er is ook (nog) geen sprake van daadwerkelijk gebruik van deze voorwerpen voor dat doel.[320] Ook het enkele voorhanden hebben van een auto, gecombineerd met de intentie die auto te gebruiken ter voorbereiding van een overval (opzet op de criminele bestemming), zal in deze benadering niet leiden tot strafbaarheid. Pas als de auto daadwerkelijk ter voorbereiding is gebruikt, bijvoorbeeld om een te overvallen bank te observeren, kan sprake zijn van strafbaarheid.

314 HR 20 februari 2007, *LJN* AZ0213 (Samir A.).
315 Zie § 7.7, met veel verwijzingen naar recente rechtspraak.
316 Zie voor een duidelijk voorbeeld van 'vergevorderde' daadwerkelijke voorbereiding Rb. Haarlem 23 september 2010, *LJN* BN8648. In deze zaak had de verdachte met andere personen afgesproken elkaar te ontmoeten teneinde een overval te plegen, waarna hij met die mededaders, in bezit van twee met scherpe patronen geladen vuurwapens, in twee auto's op weg is gegaan om die overval te gaan plegen. Slechts doordat de politie (die op de hoogte was gebracht van het voorgenomen misdrijf) tijdig had ingegrepen, kon worden voorkomen dat een dergelijke overval plaatsvond. In Gerechtshof 's-Gravenhage 3 november 2010, *LJN* BO7127 hadden de mededaders zich al begeven naar de woning van het beoogde slachtoffer, hadden daar aangebeld en hadden via de intercom gevraagd de deur te openen en vervolgens een ruit vernield. In Rb. Roermond 22 juni 2011, *LJN* BQ8878 werd de verdachte veroordeeld voor voorbereiding van moord. De verdachte had verklaard dat hij het beoogde slachtoffer dood zou maken en diens keel zou doorsnijden, terwijl hij korte tijd later twee messen had gehaald en zich vervolgens op weg had begeven in de richting van de plaats waar hij dacht dat het beoogde slachtoffer zich bevond. In Rb. 's-Gravenhage 29 juni 2011, *LJN* BR0143 waren de medeverdachten naar Vlaardingen gegaan met als doel het plegen van een overval op (een geldloper van) een bedrijf. Zij hadden hiertoe eerst voorbereidingshandelingen uitgevoerd, namelijk het eerder die week verkennen van de locatie van de voorgenomen overval, de aanschaf van bivakmutsen, handschoenen en ducktape, het meenemen van tie-wraps, het (laten) maken van een plattegrond van het bedrijf en het voorzien van een auto van gestolen kentekenplaten. Vervolgens hadden zij het bedrijf geobserveerd, waarbij een vuurwapen en een CO_2-pistool aanwezig waren in de auto. In de laatste drie zaken was het feit primair als een poging ten laste gelegd. Ook in Gerechtshof Amsterdam 7 oktober 2011, *LJN* BT7212 was de verdachte in een auto gereden naar de plaats waar het misdrijf diende te worden voltrokken.
317 Zie ook hoofdstuk 2, § 4.
318 Vgl. Smith 2003, p. 204-211. Zie ook § 7.2.
319 Zie hierover § 7.4.
320 Vgl. Rozemond 2007b, p. 489-490.

Wellicht moet op wetshistorische gronden een uitzondering worden gemaakt voor het voorhanden hebben van *geld* met het oog op het financieren van een *terroristische aanslag*. De invoering van art. 46 lid 5 Sr – dat bepaalt dat onder voorwerpen alle zaken en vermogensrechten worden verstaan – in 2002 hield immers verband met de implementatie van het Internationaal verdrag ter bestrijding van de financiering van terrorisme.[321] Dat pleit voor een uitleg van art. 46 Sr die deze strafbaarstellingsverplichting dekt.[322] De minister stelt in de toelichting bij de bedoelde wijziging:

> 'Vermogensbestanddelen (voorwerpen) zijn kennelijk bestemd tot het begaan van een misdrijf wanneer de intentie van de dader met het voorhanden hebben etc. van de voorwerpen op het begaan van dat misdrijf gericht is'.[323]

Toepassing van het criterium van de uiterlijke verschijningsvorm lijkt *in deze specifieke context* lastig in overeenstemming te brengen met het financieringsverdrag, nu aan geld immers niets af te zien is.[324]
Ook ten aanzien van de eerder besproken zaak van Samir A. zou men zich kunnen afvragen of er sprake was van 'daadwerkelijke voorbereiding', zoals die onder het nieuwe art. 46 Sr vereist is. Gezien het prille stadium waarin de voorbereidingen van de verdachte zich bevonden lijkt dat op het eerste gezicht niet vanzelfsprekend. Eerder werd echter al aangegeven dat de verdachte in deze zaak blijkens het arrest wel degelijk bepaalde handelingen had verricht die kunnen worden geduid als het daadwerkelijk voorbereiden van een aanslag: het observeren van mogelijke doelwitten, het verwerven van middelen en het trachten daarmee een bom te maken.[325] Voorts kan naar mijn mening genoegen worden genomen met een minder vergevorderd gebruik van de middelen, naarmate de intentie en de aard van de middelen (naar uiterlijke verschijningsvorm) duidelijker gericht zijn op een

---

321 Zie § 4 en § 6. Het Verdrag verplicht in art. 4 jo. art. 2 tot de strafbaarstelling van het 'wederrechtelijk en opzettelijk fondsen verstrekken of vergaren met de bedoeling die te gebruiken of met de wetenschap dat die (...) gebruikt zullen worden ter uitvoering van' (kort gezegd) een terroristische aanslag.
322 Keulen 2009a, p. 47-50.
323 *Kamerstukken II* 2001/02, 28 031, nr. 6, p. 2. Zie ook Lintz 2007, p. 197. Eerder bleek al dat in de toelichting bij het schrappen van 'kennelijk' wordt opgemerkt dat de subjectieve bestemming (het opzet van de dader) toereikend is voor strafbaarheid (zie § 7.5). Keulen heeft er op gewezen dat ook die passage wordt gebezigd in de context van het beschikbaar houden van geld voor een aanslag (Keulen 2009a, p. 48).
324 Keulen 2009a, p. 50. Volgens Keulen is geld in het algemeen gesproken zeer geschikt om realisatie van doelstellingen naderbij te brengen en heeft de eis van daadwerkelijke voorbereiding hier daarom weinig toegevoegde waarde (Keulen 2009a, p. 47-49). Los van de specifieke context van de financiering van terrorisme meent Keulen dat een 'ruimer algemeen criterium' dan dat van de Hoge Raad in het Samir A.-arrest in de rede ligt, waarin de doorslag geeft of het voorhanden hebben van het voorwerp ertoe strekt de realisatie te bevorderen van het misdadig doel. Het opzet van de dader is van 'overheersend belang' en de rol van het criterium van 'daadwerkelijke voorbereiding' lijkt zich te beperken tot de deugdelijkheid van de voorbereidingsmiddelen. Als voorbeeld noemt Keulen het voorhanden hebben van een pak suiker in relatie tot een bomaanslag (Keulen 2009a, p. 49-51). Zie over ondeugdelijke voorbereiding verder § 8.
325 Zie § 7.4.

criminele bestemming. De drie genoemde factoren kunnen dus tot op zekere hoogte als communicerende vaten worden gezien.[326]

8   Ondeugdelijke voorbereiding

In de memorie van toelichting bij de invoering van art. 46 Sr wordt opgemerkt dat de bij poging gangbare onderscheiding tussen absoluut en relatief ondeugdelijk middel en object direct, op dezelfde wijze, bruikbaar is bij de voorbereidingshandeling.[327] Van absolute ondeugdelijkheid is sprake indien het middel of object in het algemeen ongeschikt is om het verboden gevolg te realiseren. Een relatief ondeugdelijk middel of object is in het algemeen wel geschikt om het verboden gevolg in te doen treden, maar in het concrete geval niet.[328] In een subjectieve pogingsleer is het onderscheid tussen absolute en relatieve ondeugdelijkheid niet relevant, aangezien in beide gevallen sprake is van een uiting van de gevaarlijke gezindheid van de dader. In de objectieve leer is voor strafbaarheid daarentegen vereist dat het voorgenomen misdrijf ook daadwerkelijk kan worden uitgevoerd, hetgeen wel het geval is bij relatieve ondeugdelijkheid, maar niet bij een absoluut ondeugdelijk middel of object.[329] Volgens Strijards is dit onderscheid ook zinvol als het gaat om voorbereidingshandelingen. Waar het meerdere (de absoluut ondeugdelijke poging) niet strafbaar is, zal van strafbaarheid toch ook geen sprake kunnen zijn bij het mindere (de voorbereidingshandeling). Als de voorbereider zich wil bedienen van middelen die nooit tot voltooiing van het beoogde kunnen leiden, dan is er geen sprake van een reële mogelijkheid van objectieve gevaarzetting.[330] De straffeloosheid in geval van absolute ondeugdelijkheid sluit dus aan bij de ratio van de strafbaarheid van voorbereidingshandelingen: het objectief gevaarzettend karakter van die handelingen.[331] Een middel dat absoluut niet kan leiden tot de voltooiing van het beoogde misdrijf is daartoe ook niet *kennelijk bestemd*, aldus Strijards.[332] Ook Van Sliedregt meent dat er wel wat te zeggen is voor de analoge toepassing van het leerstuk van de ondeugdelijke poging op voorbereidingshandelingen, waarbij zij wijst op de ratio van de strafbare voorbereiding – gevaarzetting – en op de wettelijke eis van de kennelijke bestemming.[333]

Het is de vraag of het schrappen van het woord 'kennelijk' uit art. 46 Sr consequenties heeft voor de straffeloosheid van de absoluut ondeugdelijke voorbereiding.[334] Als de subjectieve bestemming (het opzet van de dader) daarmee toereikend zou zijn geworden, zou

---

326 Als de betrokkene bijvoorbeeld een kant en klare bom in huis heeft, en uit afgeluisterde gesprekken overduidelijk blijkt dat hij de bedoeling heeft om een aanslag te plegen, zullen er weinig eisen worden gesteld aan de handelingen die hij met het middel heeft verricht. Men zou immers kunnen zeggen dat (het begin van) de uitvoering van het misdrijf hier minder ver verwijderd is dan in een geval waarin de betrokkene het mogelijke doelwit reeds heeft geobserveerd, maar nog geen bom (doch alleen een auto of een bivakmuts) voorhanden heeft. De 'daadwerkelijke voorbereiding' is in het eerste geval met andere woorden verder gevorderd dan in het tweede geval.
327 *Kamerstukken II* 1990/91, 22 268, nr. 3, p. 13.
328 Strijards 1995, p. 30-31; De Hullu 2009, p. 386.
329 Kelk 2010, p. 351-352.
330 Strijards 1995, p. 32. Zie in dezelfde zin Dolman 2008, p. 438 en p. 443.
331 Zie hoofdstuk 2, § 4.
332 Strijards 1995, p. 32.
333 Van Sliedregt 2005, p. 2371-2372.
334 Vgl. ook Lintz 2007, p. 207-209.

het onderscheid tussen absolute en relatieve ondeugdelijkheid uiteraard – net als in de subjectieve pogingsleer – niet meer relevant zijn. In een subjectieve uitleg van art. 46 Sr zou het meekoken van koperen centen in theewater strafbare voorbereiding van moord kunnen opleveren.[335] In de wetsgeschiedenis wordt echter gesteld dat gedragingen die in de voorstelling van de dader bedoeld zijn als voorbereiding, maar die daartoe naar objectieve maatstaven geheel ongeschikt zijn, niet onder art. 46 (nieuw) Sr zullen vallen. Dergelijke gedragingen zullen immers niet *daadwerkelijk* als *voorbereiding* van een misdrijf beschouwd kunnen worden.[336] Hiermee hoopt de minister ook antwoord te hebben gegeven op de vraag in hoeverre het leerstuk van de ondeugdelijke poging kan worden overgeplaatst naar de voorbereidingshandelingen.[337] Volgens Machielse lijkt de minister het leerstuk van de ondeugdelijke poging 'rechtstreeks en zonder enige aanpassing' van toepassing te achten bij de strafbare voorbereiding, hetgeen op gespannen voet lijkt te staan met de elders in de wetsgeschiedenis beleden subjectieve nadruk.[338]

Het leerstuk van de ondeugdelijke voorbereiding speelde ook een rol in de zaak van Samir A.[339] De vrijspraak door het Hof 's-Gravenhage was kennelijk op dat leerstuk gebaseerd, hoewel het hof dat niet expliciet aangaf.[340] Het ging in dit verband om de vraag of de verdachte een (absoluut dan wel relatief) ondeugdelijke explosieve constructie voorhanden had, nu deze geen explosieve lading (verkeerde kunstmest) bevatte en er geen deugdelijke ontsteking was. Naar aanleiding van de vrijspraak door het hof heeft Van Sliedregt zich afgevraagd of hier niet gewoon sprake was van een *relatief* ondeugdelijk middel, dat volgens de heersende leer wel tot strafbaarheid kan leiden. De verdachte leek immers serieus bezig te zijn een explosief te vervaardigen dat *vooralsnog* niet deugdelijk was.[341] Het Hof Amsterdam – dat Samir A. na de verwijzing door de Hoge Raad veroordeelde – overweegt in dit verband dat het ontbreken van een op zich noodzakelijk scheikundig element in de kunstmest het middel niet absoluut ondeugdelijk maakt, maar slechts relatief ondeugdelijk.[342] Van Sliedregt heeft gepleit voor een strikte interpretatie van het begrip 'absoluut ondeugdelijk' in de voorbereidingsfase, door het te beperken tot evident ondeugdelijke middelen die door ieder wel denkend mens als zodanig worden gezien (voodoo, tovenarij). De beperking van de strafbaarstelling schuilt dan niet in de ondeugdelijkheid, maar in het zwaar aangezette opzetvereiste (gericht op het grondfeit).[343] A-G Machielse stelt in zijn conclusie voor het Samir A.-arrest dat de ondeugdelijkheid van de strafbare voorbereiding iets anders dient te worden ingevuld dan de ondeugdelijkheid van het begin van uitvoering, vanwege

---

335 Rozemond 2007b, p. 478-479. Vgl. HR 7 mei 1906, *W* 8372. Zie ook De Roos 2007, p. 694.
336 Zie § 7.5. Zie ook Keulen 2009a, p. 49: het is moeilijk denkbaar dat het voorhanden hebben van een pak suiker in relatie tot een bomaanslag (daadwerkelijke) 'voorbereiding' oplevert.
337 *Kamerstukken II* 2005/06, 30 164, nr. 12, p. 2.
338 Zie punt 8.1.3 van de conclusie van A-G Machielse voor het Samir A.-arrest (HR 20 februari 2007, *LJN* AZ0213).
339 Zie over deze zaak uitgebreid § 7.4.
340 Rozemond 2007b, p. 478; De Roos 2007, p. 694. Zie ook Lintz 2007, p. 202.
341 Van Sliedregt 2005, p. 2371-2372.
342 Gerechtshof Amsterdam 17 september 2007, *LJN* BB3756. Zie ook Rb. Rotterdam 12 april 2010, *LJN* BM0727: om met de aangetroffen pyrotechnische mengsels een ontploffing te veroorzaken was opsluiting (bijvoorbeeld in een kartonnen koker) noodzakelijk. Dat er 'slechts' mengsels zonder opsluiting waren aangetroffen, maakt het middel volgens de rechtbank echter niet absoluut ondeugdelijk. Bovendien waren er bij de verdachte ook kokers en pijpen aangetroffen.
343 Van Sliedregt 2005, p. 2371-2372.

de grotere afstand tussen de voorbereiding en het voltooide misdrijf. 'Als de objectieve geschiktheid van de door de dader gekozen middelen niet op voorhand duidelijk is zal de subjectieve nadruk in de voorbereiding de doorslag kunnen geven'. Afgezien daarvan moet wel sprake zijn van een zekere aansluiting tussen poging en voorbereiding, in de zin dat de criteria waaraan moet worden getoetst in de kern met elkaar in de pas moeten lopen.

'Als voor de strafbare poging *de indruk die de gedraging van verdachte maakt op de redelijke rechtsgenoot* belangrijk is lijkt het mij niet gewenst voor de strafbare voorbereiding uitsluitend beslissend te laten zijn welk gevaar *naar het oordeel van de achteraf onderzoekende wetenschapper* het handelen van verdachte in zich bergde' (mijn cursivering, ES).[344]

Volgens de Hoge Raad is beslissend of de voorwerpen, afzonderlijk dan wel gezamenlijk, *naar hun uiterlijke verschijningsvorm ten tijde van het handelen* dienstig kunnen zijn voor het misdadige doel dat de verdachte met het gebruik van de voorwerpen voor ogen had.[345] Als men deze overweging leest tegen de achtergrond van de conclusie van A-G Machielse, lijkt de 'fout' van het hof vooral te zijn dat het de deugdelijkheid van de middelen niet naar hun uiterlijke verschijningsvorm ten tijde van het handelen heeft beoordeeld, maar op grond van hetgeen daaromtrent achteraf door deskundigen is verklaard. Daarmee lijkt wel vast te staan dat voor het leerstuk van de ondeugdelijke voorbereiding in de praktijk slechts een zeer beperkte rol zal zijn weggelegd. Gelet op het eveneens geringe praktische belang van de absoluut ondeugdelijke *poging* hoeft dat overigens niet te verbazen. Uit de literatuur blijkt dat de waarde van het leerstuk van de absoluut ondeugdelijke poging is gemarginaliseerd.[346] Van straffeloosheid zal slechts sprake zijn als de uitvoeringshandeling of voorbereidingshandeling 'zo kinderlijk, zo ondoeltreffend, zo ongerijmd' is dat deze nimmer tot het door verdachte beoogde doel had kunnen leiden.[347] Een marginale positie van de ondeugdelijke poging past volgens De Hullu ook bij het criterium van de uiterlijke verschijningsvorm, nu deze verschijningsvorm meestal niet zal worden aangetast door de ondeugdelijkheid.[348] In het kader van art. 46 Sr betekent dit naar mijn mening dat een voorbereidingsmiddel slechts absoluut ondeugdelijk zal zijn als het naar uiterlijke verschijningsvorm – dus gelet op de indruk die ten tijde van het handelen van de voorbereider wordt gemaakt op de gemiddelde rechtsgenoot – evident ongeschikt is om het beoogde misdrijf mee te begaan.[349] In een dergelijk geval zal niet kunnen worden gesproken van 'daadwerkelijke voorbereiding'.[350]

---

344 Conclusie A-G Machielse voor HR 20 februari 2007, *LJN* AZ0213 (Samir A.).

345 HR 20 februari 2007, *LJN* AZ0213 (Samir A.).

346 Conclusie A-G Machielse voor HR 20 februari 2007, *LJN* AZ0213 (Samir A.); De Hullu 2009, p. 386-387.

347 Janssen 2006, p. 1006, i.h.b. voetnoot 13; De Roos 2007, p. 694.

348 De Hullu 2009, p. 387. Kennelijk anders: Dolman 2008, p. 443, die zich afvraagt hoe vaak een absoluut ondeugdelijke poging niet de indruk zal wekken dat zij op voltooiing van het voorgenomen misdrijf gericht is.

349 Vgl. Pelser 2004, p. 192, die in wezen het omgekeerde betoogt: een absoluut ondeugdelijk middel kan nooit naar uiterlijke verschijningsvorm bestemd zijn tot het begaan van het misdrijf.

350 In het voorgaande is betoogd dat de rechtspraak van de Hoge Raad over art. 46 (oud) Sr van belang blijft na het schrappen van het woord 'kennelijk'; zie § 7.8. Dat geldt uiteraard ook voor het Samir A.-arrest.

9   Vrijwillige terugtred

In het rapport van de werkgroep Van Veen wordt betoogd dat een algemene wettelijke regeling van vrijwillige terugtred bij voorbereidingshandelingen niet adequaat te geven zou zijn. Een vrijwillige terugtred nadat de delictsomschrijving van de strafbare voorbereidingshandeling vervuld is, lijkt volgens de werkgroep niet goed mogelijk.

> 'Een "vrijwillige terugtred" zou moeten bestaan uit het weggooien of vernietigen van [het] aanwezige materiaal, beëindigen van een huurovereenkomst, enz. Het vernietigen van het materiaal doet er evenwel niet aan af dat het op een bepaald moment aanwezig was om het betrokken strafbare feit te plegen en dat er dus een strafbaar feit is gepleegd'.[351]

Deze benadering past bij de keuze van de werkgroep om de voorbereiding wetstechnisch onder te brengen in zelfstandige delictsomschrijvingen in het Bijzonder Deel van het wetboek.[352] De wetgever is echter (ook) op het punt van de vrijwillige terugtred afgeweken van het advies van de werkgroep. Tegelijkertijd met de invoering van het nieuwe art. 46 Sr in 1994 is de vrijwillige terugtred namelijk als algemene grond voor straffeloosheid bij de onvolkomen delictsvormen opgenomen in art. 46b Sr. Voorheen was het uitblijven van delictsvoltooiing (mede) door toedoen van de dader als negatief bestanddeel opgenomen in art. 45 Sr.[353] Het gevolg van deze wijziging is dat het OM de afwezigheid van vrijwillige terugtred niet langer ten laste hoeft te leggen en te bewijzen. Het is in beginsel aan de verdachte om omstandigheden aan te voeren waaruit blijkt dat hij vrijwillig terug is getreden.[354] Art. 46b Sr zal volgens de minister niet doorwerken bij voorbereidingsfeiten die als zelfstandige misdrijven strafbaar zijn gesteld.[355] Dat geldt ook voor de voorbereidingshandelingen van art. 10a Opiumwet en voor de samenspanning.[356]
Volgens art. 46b Sr bestaat voorbereiding noch poging indien het misdrijf niet is voltooid tengevolge van omstandigheden van de wil van de dader afhankelijk. Het betreft hier volgens de wetgever geen strafuitsluitingsgrond in eigenlijke zin, maar een rechtsgrond om de betrokkene niet meer als 'dader' aan te merken. Er is hier sprake van een objectieve grond voor uitsluiting van de aansprakelijkheid, die volgens de minister ook geldt voor ieder van de deelnemers.[357] Dat laatste kan volgens Smith echter niet de bedoeling zijn:

> 'In de vrijwillige terugtred van één dader valt geen grond te vinden voor straffeloosheid van eventuele deelnemers die met de uitvoering zijn doorgegaan en alleen door deze van hun wil onafhankelijke omstandigheid het misdrijf niet hebben voltooid. (...) Deelnemers die niet vrijwillig zijn teruggetreden zijn dus wel strafbaar'.[358]

---

351 Rapport 1988, p. 9.
352 Zie ook § 10.
353 *Kamerstukken II* 1990/91, 22 268, nr. 3, p. 4.
354 Smith 2003, p. 51.
355 *Kamerstukken II* 1990/91, 22 268, nr. 7, p. 17. Zie ook – kritisch hierover – Smith 2003, p. 251-252.
356 De Hullu 2009, p. 415, i.h.b. voetnoot 252.
357 *Kamerstukken II* 1990/91, 22 268, nr. 3, p. 4.
358 Smith 2003, p. 51. Zie ook Smith 2003, p. 248-251.

Ook Strijards spreekt van een 'daderschapsuitsluitingsgrond' die persoonlijke werking heeft en dus alleen geldt ten aanzien van de dader of medeplichtige wie zij persoonlijk betreft (art. 50 Sr).[359] In een arrest uit 2011 maakt de Hoge Raad ten aanzien van de vrijwillige terugtred bij een *poging* echter onderscheid tussen medeplegers enerzijds en uitlokkers en medeplichtigen anderzijds:

> '[I]ngeval sprake is van het medeplegen van een poging als bedoeld in art. 45 Sr [komen] de 'omstandigheden van de wil van de dader afhankelijk' als bedoeld in art. 46b Sr – behoudens in bijzondere gevallen – alleen in aanmerking (...) ten aanzien van hem van wiens wil die omstandigheden daadwerkelijk afhankelijk zijn en niet tevens ten aanzien van medeplegers van wie niet is komen vast te staan dat die omstandigheden (mede) van hun wil afhankelijk zijn. Voor de medeplichtige dan wel de uitlokker van een poging tot misdrijf, waarbij het misdrijf niet is voltooid tengevolge van omstandigheden afhankelijk van de wil van de pleger of de medepleger(s), geldt echter dat die omstandigheden ook voor hen tot straffeloosheid leiden'.[360]

Dit onderscheid houdt verband met het accessoire karakter van uitlokking en medeplichtigheid. Dat karakter brengt mee dat deze deelnemers profiteren van de vrijwillige terugtred van de pleger (hoofddader), omdat door die terugtred het vereiste grondfeit (de poging) komt te ontbreken.[361] Gelet op deze achtergrond is er geen reden om aan te nemen dat dit bij *voorbereiding* anders zou zijn.[362]

Voor straffeloosheid is niet nodig dat het uitblijven van de poging of het misdrijf *alleen* is toe te schrijven aan de wilsbepaling van de betrokkene. Externe omstandigheden mogen dat uitblijven mede veroorzaakt hebben, mits de dader maar bijdroeg aan die afloop.[363] Als men echter door omstandigheden (bijvoorbeeld de aanwezigheid van personeel in een te overvallen juwelierszaak) wordt gedwongen tot het besluit om terug te treden, is van vrijwilligheid uiteraard geen sprake. Vrijwillige terugtred is mogelijk zolang het voorgenomen *misdrijf* niet is voltooid; het feit dat de *voorbereidingshandelingen* reeds zijn voltooid staat aan een beroep op art. 46b Sr niet in de weg.[364] Als de voorbereidingshandelingen *niet* zijn voltooid – bijvoorbeeld als de 'dader' nog geen voorwerpen voorhanden heeft – kan van strafbaarheid op grond van art. 46 Sr uiteraard in het geheel geen sprake zijn, zodat men niet toekomt aan de vraag of de betrokkene vrijwillig terug is getreden.

---

359 Strijards 1995, p. 56-57 en p. 62-68. Zie over deze kwestie uitvoerig H.D. Wolswijk, 'Enkele opmerkingen over vrijwillig terugtreden bij deelneming', in: B.F. Keulen, G. Knigge, H.D. Wolswijk (red.), *Pet af* (De Jong-bundel), Nijmegen: Wolf Legal Publishers 2007, p. 537-543.

360 HR 12 april 2011, *LJN* BN4531.

361 Zie de conclusie van A-G Knigge voor HR 12 april 2011, *LJN* BN4531, onder verwijzing naar o.a. Wolswijk 2007. Vgl. ook De Hullu 2009, p. 411-412, die derdenwerking hier 'wellicht per saldo toch verdedigbaar' vindt, zeker voor anderen dan de medepleger (voor zover het tenminste om de poging gaat).

362 Vgl. echter De Hullu 2009, p. 412: bij strafbare voorbereiding pleit voor individuele werking dat de uitlokker hier (anders dan bij de poging) niet aansprakelijk kan worden gesteld voor 'mislukte uitlokking' (art. 46a Sr).

363 *Kamerstukken II* 1990/91, 22 268, nr. 3, p. 21. Zie ook HR 19 december 2006, *LJN* AZ2169, *NJ* 2007, 29 (Eemskanaal): van buiten komende factoren die mede ertoe hebben geleid dat het misdrijf niet is voltooid, behoeven niet aan vrijwillige terugtred in de weg te staan.

364 Zie de conclusie van A-G Keijzer voor HR 27 november 2001, *LJN* AD4484, *JOL* 2001, 719 (Juwelierszaak). Vgl. ten aanzien van de poging tot uitlokking (art. 46a Sr) in dezelfde zin HR 5 december 2000, *NJ* 2001, 139 en daarover H.D. Wolswijk, 'Duidelijkheid over poging tot uitlokking', *Advocatenblad* 2001, p. 701-703, alsmede Wolswijk 2007, p. 543-545.

De wetsgeschiedenis lijkt er op te duiden dat bij de voorbereiding zwaardere eisen moeten worden gesteld aan de vrijwillige terugtred dan bij de poging. Het zal in de regel niet voldoende zijn dat de betrokkene afziet van verdere handelingen.[365] De voorbereider moet volgens de wetgever namelijk bewerkstelligen dat uitgesloten is dat met behulp van zijn voorbereidingshandelingen het aanvankelijk beoogde misdrijf nog begaan wordt.[366] Bij voorbereiding kan wellicht dus pas van vrijwillige terugtred worden gesproken bij een daad die het eerder verrichte wegneemt en de gevolgen verijdelt.[367]

Dit lijkt aan te sluiten bij de eisen die aan de terugtred worden gesteld als sprake is van een 'voltooide poging' ('délit manqué'): er moet door de dader een 'actus contrarius' worden verricht.[368] Volgens Smith lijkt het tegenstrijdig om bij voorbereiding dermate hoge eisen te stellen aan de terugtred, nu hier immers objectief minder is gebeurd dan bij de poging. Hij suggereert dat in dit verband onderscheid zou kunnen worden gemaakt tussen voltooide en onvoltooide voorbereiding.[369] Naar mijn mening valt een dergelijk onderscheid hier echter – anders dan bij de poging – niet goed te maken. Van een voltooide poging is sprake als de dader er van zijn kant alles aan gedaan heeft om de voltooiing van het misdrijf te bereiken, zodat alleen een van buiten komende omstandigheid of actief ingrijpen van de dader die voltooiing nog kan voorkomen.[370] Een dergelijke situatie is in het kader van de voorbereiding logischerwijs niet denkbaar, omdat de voorbereiding verder verwijderd is van het voltooide delict dan de poging.[371] Anders dan het begin van uitvoering in art. 45 Sr zijn de voorbereidingshandelingen in art. 46 Sr bovendien 'formeel' omschreven, door middel van een specifieke aanduiding van de relevante gedragingen. Bij formele delicten is de ruimte voor de pogingfase – en daarmee dus ook de ruimte voor vrijwillige terugtred – beperkt. Het beginnen van de gedraging valt doorgaans samen met de voltooiing ervan.[372] Enerzijds kan van strafbaarheid op grond van art. 46 Sr – en dus van vrijwillige terugtred – geen sprake zijn, als de dader de betreffende voorwerpen nog niet voorhanden heeft. Anderzijds is sprake van strafbaarheid zodra de dader die voorwerpen voorhanden heeft. Zoals de werkgroep Van Veen reeds opmerkte zal vrijwillige terugtred dan moeten bestaan uit het weggooien of vernietigen van die voorwerpen. Het enkele staken van de voorbereiding hoeft immers nog niet te duiden op vrijwillige terugtred. Naar uiterlijke verschijningsvorm is er dan niets veranderd: de voorbereider heeft de voorwerpen nog steeds voorhanden.[373] De objectieve gevaarzetting is dan met andere woorden niet verminderd of verdwenen, anders dan in het geval waarin iemand die op het punt staat om in te breken

---

365 Smith 2003, p. 52-53.

366 *Kamerstukken II* 1990/91, 22 268, nr. 3, p. 4.

367 De Hullu 2009, p. 414.

368 Vgl. Smith 2003, p. 243-246. Zie over vrijwillige terugtred bij de voltooide poging HR 19 december 2006, *LJN* AZ2169, *NJ* 2007, 29 (Eemskanaal): de Hoge Raad overweegt dat '(...) voor het aannemen van vrijwillige terugtred in geval van een voltooide poging veelal een zodanig optreden van de verdachte is vereist dat dit naar aard en tijdstip geschikt is het intreden van het gevolg te beletten'. Zie over de toepassing van dit criterium in latere rechtspraak B.M.E. Mallens & M.J. Hornman, 'Vrijwillige terugtred bij poging', *DD* 2010, p. 1236 e.v.

369 Smith 2003, p. 244-247.

370 Kelk 2010, p. 329-330.

371 Met dank aan Hein Wolswijk die mij op dit punt wees.

372 Vgl. Kelk 2010, p. 333-335.

373 Een andere vraag is uiteraard of de intentie van de dader en de criminele bestemming van de voorwerpen bewezen kunnen worden bij een langdurig 'stilzitten'; vgl. het in § 3.3 en § 7.3 besproken arrest HR 17 februari 2004, *NJ* 2004, 400 (Brief in jaszak).

ophoudt en weggaat (onvoltooide poging).[374] Op grond van het voorgaande moet naar mijn mening voor vrijwillige terugtred bij voorbereiding inderdaad de eis worden gesteld van een tegengestelde gedraging.

10   Combinatie en cumulatie van voorbereiding, poging en deelneming?

Zoals eerder bleek heeft de wetgever in 1994 gekozen voor een algemene strafbaarstelling van voorbereiding als onvolkomen delictsvorm in het Algemeen Deel van het wetboek van strafrecht. Als principieel bezwaar tegen de voorstellen van de werkgroep Van Veen voert de minister aan dat de voorbereiding wetstechnisch wordt ondergebracht in zelfstandige delictsomschrijvingen in het Bijzonder Deel. Dat zou betekenen dat ook de *(deelneming aan) poging tot voorbereiding* strafbaar zou worden, hetgeen volgens de minister te ver zou gaan.[375]

> 'Deelneming aan voorbereiding zal slechts strafbaar zijn inzoverre thans deelneming aan poging strafbaarheid oplevert; zoals thans poging tot poging straffeloos is, zal in de toekomst poging tot voorbereiding en voorbereiding tot voorbereiding evenmin strafbaarheid kunnen vestigen'.[376]

De wetgever wilde dus geen combinatie van onvolkomen delictsvormen mogelijk maken. Voor de (in de toelichting niet genoemde) voorbereiding van een poging zal dan hetzelfde gelden. Net als de voorbereiding van voorbereiding is een dergelijke constructie ook moeilijk denkbaar, nu het in feite toch om de voorbereiding van een voltooid delict zal gaan. De poging tot voorbereiding laat zich daarentegen wel denken, maar is in beginsel niet strafbaar. Gedacht kan worden aan iemand die tracht een voorwerp (bijvoorbeeld een wapen) te verwerven om daarmee een misdrijf te begaan.[377] Ook kan men denken aan degene die probeert een bom te vervaardigen teneinde daarmee een aanslag te plegen. In die situatie kan echter onder omstandigheden ook reeds sprake zijn van het 'voltooide' voorhanden hebben van de afzonderlijke onderdelen van de te fabriceren bom.[378] Als een voorbereidingshandeling als delict sui generis strafbaar is gesteld, dus in de vorm van een zelfstandig misdrijf, dan is poging tot en voorbereiding van dat misdrijf in beginsel ook strafbaar. Dat geldt eveneens voor de zelfstandige strafbaarstellingen van samenspanning.[379]
Dat deelneming aan voorbereiding – net als de deelneming aan een poging – strafbaar is, volgt behalve uit de wetsgeschiedenis ook uit art. 78 Sr.[380] Voor de strafbaarheid van deelneming is vereist dat het beoogde strafbare grondfeit daadwerkelijk tot stand is gekomen (accessoriteit). Uit art. 78 Sr blijkt dat dit grondfeit ook een strafbare poging of een strafbare voorbereidingshandeling kan zijn. Als er daarentegen geen strafbaar grondfeit (vol-

---

374 Vgl. De Hullu 2009, p. 412.
375 *Kamerstukken II* 1990/91, 22 268, nr. 3, p. 3.
376 *Kamerstukken II* 1990/91, 22 268, nr. 3, p. 13.
377 De Hullu 2009, p. 397-399.
378 Vgl. de in § 7.4 besproken zaak van Samir A.
379 Strijards 1995, p. 23. Vgl. echter ook Strijards 1995, p. 151-152 en p. 178 (art. 80 Sr is een specialis in de verhouding tot art. 46 Sr). Zie over de verhouding tot andere zelfstandige strafbaarstellingen van de voorbereidingsfase (zoals art. 140 Sr) Strijards 1995, p. 176 e.v.
380 De Hullu 2009, p. 390 en p. 395, voetnoot 115.

tooid delict, poging of voorbereiding) is gevolgd, kan van strafbare deelneming in beginsel geen sprake zijn.[381] De voorbereiding van deelneming is dus geen grond voor strafbaarheid, zoals de wetgever ook de poging tot deelneming niet heeft willen aanvaarden als algemene grond voor aansprakelijkheid.[382] In art. 46a Sr heeft de wetgever een uitzondering gemaakt op de straffeloosheid van poging tot deelneming, door de poging tot uitlokking en doen plegen afzonderlijk strafbaar te stellen.[383] Ook uit deze uitdrukkelijke strafbaarstelling van de *poging* tot deze deelnemingsvormen kan (a contrario) worden afgeleid dat de *voorbereiding* daarvan niet strafbaar is.

Degene die een poging begaat of het misdrijf voltooit, zal in de meeste gevallen ook voorbereidingshandelingen hebben verricht, aldus de minister. Zal de dader dan cumulatief strafbaar zijn ter zake van de voorbereiding én de al dan niet geschorste uitvoering? Gelet op de zwaarte van de wettelijke hoofdstraf – die bij voorbereiding met de helft wordt verminderd en bij poging met een derde – zal in een dergelijk geval de aansprakelijkheid voor strafbare voorbereiding volgens de minister zijn uitgesloten (art. 55 lid 1 Sr), zodat problemen op het niveau van de eendaadse samenloop worden voorkomen. Voor zover voorbereidingshandelingen in de strafwetgeving sui generis strafbaar zijn gesteld, is het OM verplicht de tenlastelegging toe te spitsen op de bijzondere strafbaarstelling (art. 55 lid 2 Sr), aldus de minister.[384] In dat laatste geval is volgens de wetgever dus sprake van een generalis-specialis-verhouding.[385]

Gelet op de beperkte betekenis van de eendaadse samenloop en de specialiteitsregeling valt op de bovenstaande redeneringen van de wetgever op zichzelf wel wat af te dingen.[386] Op grond van het opportuniteitsbeginsel lijkt het immers niet uitgesloten dat het OM juist kiest voor vervolging op grond van art. 46 Sr en niet op grond van de poging, het voltooide delict of de bijzondere strafbaarstelling.[387] Het uitgangspunt is volgens De Hullu echter helder en aansprekend: dubbele bestraffing voor 'hetzelfde feit' is niet mogelijk. Het is ook in overeenstemming met het karakter van de onvoltooide delictsvormen dat de voorbereiding zich als het ware oplost in de poging of het voltooide delict.[388] In een zaak waarin het hof had veroordeeld voor een moord en voor de voorbereiding daarvan, komt de Hoge Raad niet tot een inhoudelijk oordeel. Het cassatiemiddel bevat de klacht dat het hof hier een voortgezette handeling in de zin van art. 56 Sr had moeten aannemen. Volgens de Hoge Raad mist het middel echter belang, aangezien toepassing van art. 56 Sr in dit geval niet tot een ander strafmaximum zou leiden. A-G Knigge meent dat het hof heeft verzuimd om art. 55 Sr (eendaadse samenloop) aan te halen.[389]

381 Vgl. Kelk 2010, p. 408; De Hullu 2009, p. 390-391 en p. 423.
382 Vgl. Strijards 1995, p. 22-23.
383 Vgl. Kelk 2010, p. 356-357; De Hullu 2009, p. 391-392.
384 *Kamerstukken II* 1990/91, 22 268, nr. 3, p. 18-19.
385 Smith 2003, p. 261. Hierbij kan gedacht worden aan de artt. 96, 103 en 122 Sr en art. 10a Opiumwet.
386 Vgl. ook de noot van Buruma onder HR 11 december 2007, *NJ* 2008, 560, die in verband met eendaadse samenloop opmerkt dat hier geen sprake hoeft te zijn van eenheid van tijd en plaats, terwijl ook sprake is van een verschil in strekking ('preëmptie' versus 'reactie').
387 De Hullu 2009, p. 398. Zie ook Smith 2003, p. 257: er bestaan geen principiële bezwaren tegen vervolging voor een eerder delictsstadium met een lager strafmaximum.
388 De Hullu 2009, p. 398.
389 HR 11 december 2007, *LJN* BB6220, *NJ* 2008, 560.

Voor eendaadse samenloop is vereist dat het feit valt te rubriceren onder meer dan één delictsomschrijving. Als men aanneemt dat de voorbereidingsfase wordt geabsorbeerd door de strafbare poging, omdat van voorbereiding slechts sprake kan zijn als het niet tot een begin van uitvoering is gekomen, lijkt samenloop echter juist uitgesloten te zijn. Volgens Smith ligt het daarom het meest voor de hand om tussen voorbereiding en poging een subsidiariteitsverhouding aan te nemen. Dat betekent dat de strafbaarheid ter zake van voorbereiding zal komen te vervallen zodra er sprake is van een begin van uitvoering.[390] In elk geval dient het uitgangspunt hoe dan ook te zijn en te blijven dat dubbele vervolging en dubbele bestraffing moeten worden voorkomen.[391] Of men dat resultaat nu bereikt via eendaadse samenloop, voortgezette handeling dan wel absorptie (subsidiariteit) is in die zin van secundair belang.

11   Strafmaat

In het rapport van de werkgroep Van Veen werd voorgesteld het strafmaximum voor voorbereiding even hoog te stellen als bij de poging. Weliswaar is bij voorbereidingshandelingen de delictsomschrijving in mindere mate vervuld dan bij de poging het geval is, maar onder omstandigheden kan volgens de werkgroep in het concrete geval een vergaande overeenkomst tussen poging en voorbereiding bestaan.[392] De wetgever van 1994 heeft er daarentegen voor gekozen om het maximum van de hoofdstraffen op het misdrijf gesteld bij voorbereiding te verminderen tot de helft (art. 46 lid 2 Sr). In vergelijking met de vermindering met een derde bij de strafbare poging (art. 45 lid 2 Sr) gaat het hier om een aanzienlijke strafreductie. 'De primaire rechtsgrond van deze vermindering is dat de schok voor de rechtsorde die van een voorbereidingshandeling uitgaat vergelijkenderwijs geringer is dan die welke teweeggebracht wordt door het misdrijf zelf of strafbare poging daartoe'.[393] Daarnaast is de strafvermindering volgens de wetgever noodzakelijk om samenloopproblemen met de poging of het voltooide misdrijf te voorkomen.[394] De minister merkt op dat de rechterlijke straftoemetingsvrijheid in Nederland groot is; ook als het gaat om het voltooide feit blijft de rechtspraak altijd al ver onder het wettelijk gefixeerde strafmaximum.

---

390 Smith 2003, p. 253-257.
391 Vgl. HR 10 februari 2009, *NJ* 2009, 346 (Woningoverval te Leer). In deze zaak werd de verdachte vervolgd voor de voorbereiding van een roofoverval op een woning in Duitsland op 13 juli 2005. Terwijl de verdachte en zijn mededaders in een auto naar die woning op weg waren, werden zij door de Duitse politie gecontroleerd, waarna ze van de voorgenomen overval hadden afgezien. Twee weken later werd de overval alsnog uitgevoerd. Voor die overval werd de verdachte in Duitsland vervolgd en veroordeeld. Het verweer dat hier sprake zou zijn van een dubbele strafvervolging (in de zin van art. 54 van de Schengen Uitvoerings Overeenkomst) werd door het hof verworpen, omdat niet aannemelijk was geworden dat de tenlastegelegde voorbereidingshandelingen berustten op hetzelfde wilsbesluit als de voltooide woningoverval; het betrof dus een ander feit dan het (twee weken later) voltooide delict. Volgens de Hoge Raad heeft het hof het verweer dat sprake zou zijn van 'dubbele vervolging' terecht verworpen. Annotator Klip merkt op dat sprake was van verschillende data, verschillende pleegplaatsen in verschillende landen, verschillende juridische feiten en een verschillende samenstelling van de groep. Dat de verdachten zich door het eerdere stukmaken van de zaak niet hadden laten afhouden van het opnieuw ter hand nemen van hun plannen duidt volgens Klip op een geheel nieuw initiatief.
392 Rapport 1988, p. 10.
393 *Kamerstukken II* 1990/91, 22 268, nr. 3, p. 18-19.
394 Zie daarover § 10.

De minister verwacht dat de rechter ten aanzien van voorbereidingshandelingen de wettelijke strafvermindering relatief door zal laten werken, vergeleken met de straftoemeting ten aanzien van het voltooide feit.[395] De wettelijke strafverminderingsgrond van art. 46 Sr geldt niet voor het jeugdstrafrecht (art. 77gg Sr).[396] Voorts telt deze aftrek niet mee bij de toepasbaarheid van voorlopige hechtenis (art. 67 en 67a Sv); bepalend is hier de straf die op het gronddelict is gesteld.[397] Als het gaat om voorbereiding van misdrijven waarop levenslange gevangenisstraf is gesteld, kan maximaal een gevangenisstraf van vijftien jaar worden opgelegd (art. 46 lid 3 Sr). Tot slot kan worden opgemerkt dat de maatregelen en de bijkomende straffen voor voorbereiding dezelfde zijn als voor het voltooide misdrijf.[398]

395 *Kamerstukken II* 1991/92, 22 268, nr. 5, p. 26.
396 Strijards 1995, p. 100.
397 T & C Sr, art. 46, aant. 14b.
398 Zie resp. T & C Sr, art. 46, aant. 14c en art. 46 lid 4 Sr.

HOOFDSTUK 4
Afsluitende beschouwing

1 De wenselijkheid van strafbaarstelling van voorbereidingshandelingen

Ten tijde van de invoering van art. 46 Sr was de strafbaarstelling van voorbereidingshandelingen vooral in de literatuur omstreden.[399] Het belangrijkste bezwaar was dat niet langer gedragingen en handelingen, maar intenties het uitgangspunt zouden gaan vormen voor strafrechtelijke aansprakelijkheid. Voorts zou de vaagheid en onduidelijkheid van het artikel op gespannen voet staan met het lex certa-beginsel en werd de noodzaak van de invoering betwijfeld.[400] Sommige auteurs wekken (bijvoorbeeld ook in het kader van de verruiming van de strafbaarheid van samenspanning) de indruk dat er nauwelijks ruimte bestaat voor uitbreiding van de strafbaarheid en dat het verlaten van bestaande uitgangspunten op zichzelf een probleem is. In dat verband heeft Borgers gewaarschuwd voor 'dogmatische starheid'.[401] Minister Hirsch Ballin merkte hier ten tijde van de invoering van art. 46 Sr al het volgende over op:

> '[H]et gaat hier niet om een autonoom en onveranderlijk systeem. Het gaat hier om een stelsel (...), dat beïnvloed wordt door de maatschappij, door de ontwikkelingen en interacties daarin. Het gaat om een systeem, waarvan de grenzen door de wetgever verlegd kunnen worden, als de uitkomsten van een rechtspolitieke belangenafweging daartoe nopen'.[402]

Niet iedere verandering van het strafrecht die op gespannen voet staat met oude uitgangspunten hoeft een verslechtering te zijn. Veel hangt bovendien af van de wijze waarop de rechterlijke macht met een wetswijziging omspringt. Als het bijvoorbeeld gaat om strafbaarstellingen die de intentie centraal stellen, is van groot belang welke eisen de rechter stelt aan het bewijs van die intentie en aan de duurzaamheid van het voornemen. De strafrechtswetenschap kan hieraan een bijdrage leveren door niet alleen kritiek te leveren op de voorstellen, maar ook 'proactief' mee te denken over de wijze waarop daar in de praktijk invulling aan moet worden gegeven.[403]

De hierboven bedoelde kritiek lijkt inmiddels grotendeels te zijn verstomd.[404] De discussie over de wenselijkheid van de strafbaarstelling van voorbereidingshandelingen zal hier dan ook niet over worden gedaan. Door Prakken en Roef is terecht opgemerkt dat het weinig zin heeft klaagzangen aan te vangen over het bestaan van voorbereidingsdelicten. Het lijkt wenselijker en (wetenschappelijk) interessanter te bekijken in hoeverre en in welke gevallen strafbare voorbereiding zodanig vorm kan worden gegeven, dat deze 'zowel instrumenteel als machtskritisch' aanvaardbaar blijft.[405] Thans gaat het met name om de precieze reik-

---

399 Zie daarover De Hullu 2009, p. 396; Smith 2003, p. 261.
400 Zie hoofdstuk 2, § 5.
401 Borgers 2007, p. 62-72.
402 *Kamerstukken II* 1992/93, 22 268, nr. 7, p. 8.
403 Vgl. Borgers 2007, p. 107-109.
404 Smith 2003, p. 262.
405 Prakken & Roef 2004, p. 224.

wijdte van de geldende regeling. De vraag is dan vooral hoe de strafbaarheid van voorbereidingshandelingen op een passende manier afgebakend kan worden.[406] Het is dus kennelijk vooral de *wijze waarop* de wetgever *vorm* geeft aan de strafrechtelijke aansprakelijkheid in de voorfase die (nu nog) ter discussie staat. Daarom wordt in de volgende paragrafen de concrete vormgeving van de strafbaarstelling van art. 46 Sr op basis van de bevindingen uit de vorige hoofdstukken nog eens nader geanalyseerd.

De (verruiming van de) strafbaarstelling van voorbereidingshandelingen past bij een maatschappij die wel wordt getypeerd als een 'risicosamenleving'. Dat is een samenleving waarin de burger van de overheid bescherming verlangt tegen de risico's van (onder meer) misdaad. Het strafrecht wordt daarbij niet alleen gezien als instrument om repressief op te treden, maar wordt geacht ook ter controle en preventie te worden ingezet.[407] 'Men spreekt dan vaak van *risicojustitie*, waarmee wordt verwezen naar vormen van strafrechtelijk optreden waarbij het streven naar veiligheid en dus het uitbannen van risico's voorop staan. Het strafrecht vervult niet de klassieke repressieve rol, waarbij er wordt gereageerd op kwaad dat al is geschied, maar tracht juist een zeker kwaad te voorkomen'.[408] In dit verband wordt ook wel gesproken over een 'voorzorgstrafrecht'.[409] De opkomst en ontwikkeling van strafbare voorbereidingshandelingen kan tegen deze achtergrond worden geplaatst. Het is soms de vraag of van het strafrecht in dit verband niet meer wordt verlangd dan het kan realiseren.[410] Ook vanuit die invalshoek kan nog eens kritisch worden gekeken naar de huidige begrenzing van art. 46 Sr.

2 Uitgangspunten van de wettelijke regeling

In dit cahier zijn de grenzen van de strafrechtelijke aansprakelijkheid ter zake van voorbereidingshandelingen verkend. In algemene zin is daarbij gepleit voor een interpretatie die in overeenstemming is met de uitgangspunten die ten grondslag hebben gelegen aan de strafbaarstelling van voorbereidingshandelingen. Dat wil in de eerste plaats zeggen dat de strafbaarheid beperkt dient te zijn tot gevallen waarin sprake is van een reële (directe, actuele) *objectieve gevaarzetting* voor de rechtsorde. In het verlengde daarvan is het uitdrukkelijk niet de bedoeling van de wetgever geweest om *enkele intenties* strafbaar te stellen. Een 'idee-strafrecht' wordt afgewezen. De wetgever acht aansprakelijkheid uitgesloten als de intentie in geen enkel opzicht blijkt uit handelingen die op zichzelf wederrechtelijk zijn. Objectief volstrekt onschuldige gedragingen zouden daarom niet strafbaar moeten worden op grond van het enkele feit dat zij met een criminele intentie worden verricht.[411]

In het voorgaande is gebleken dat bij de opsomming van gedragingen en middelen in art. 46 Sr gebruik is gemaakt van algemene termen, waar nauwelijks een beperkende werking

---

406 Vgl. De Hullu 2009, p. 396 en p. 417-418; Smith 2003, p. 261.
407 A.A. Franken, 'Casuïstiek en legaliteit in het materieel strafrecht', *DD* 2006, p. 949-950; Rozemond 2007b, p. 468.
408 Borgers 2007, p. 9.
409 Zie bijv. Kool 2010, p. 1264-1293.
410 Borgers 2007, p. 8-12.
411 Zie hoofdstuk 2, § 3 en § 4. Vgl. Prakken & Roef 2004, p. 262: de grondslag van de strafbaarheid moet een gevaarzettende gedraging zijn en de 'finaliteit' moet op grond van uiterlijk waarneembare omstandigheden kunnen worden vastgesteld.

van uitgaat. De redactie van art. 46 Sr laat dus in beginsel de mogelijkheid open dat vrij-wel iedere (op zichzelf onschuldige) gedraging, verricht met het voornemen (opzet) om een misdrijf te begaan, strafbaar is.[412] Een dermate ruime aansprakelijkheid zou echter in strijd zijn met de hierboven weergegeven bedoeling van de wetgever. Dat betekent dat een nadere beperking van de strafbaarheid wenselijk is. Tot de wetswijziging van 2007 kon die beperking onder meer worden gezocht in een restrictieve interpretatie van het bestand-deel 'kennelijk bestemd'. Uit de rechtspraak over art. 46 (oud) Sr blijkt dat de kennelijke bestemming van een voorwerp beoordeeld moet worden op zijn uiterlijke verschijnings-vorm, op het daarvan gemaakte gebruik en op het misdadige doel dat de verdachte met het gebruik van dat voorwerp voor ogen had.[413] De Hoge Raad erkent daarmee weliswaar dat de intentie in dit verband een rol kan spelen, maar daarnaast moet worden gelet op de ui-terlijke verschijningsvorm en het gebruik van het voorbereidingsmiddel. Uit de rechtspraak blijkt kortom geenszins dat de enkele intentie voldoende is voor strafbaarheid.[414] Ook de Hoge Raad lijkt dus een 'geobjectiveerde finale gedraging' te eisen.[415]

3   De wetswijzigingen van 2002 en 2007

Sinds de inwerkingtreding van art. 46 Sr is deze bepaling inmiddels tweemaal gewijzigd. Deze aanpassingen roepen de vraag op in hoeverre de hierboven bepleite restrictieve (ob-jectieve) interpretatie nog vol te houden is. In 2002 werden de woorden 'in vereniging' uit art. 46 Sr geschrapt.[416] Hoewel de minister stelt dat het hier om een 'betrekkelijk onderge-schikt' onderdeel van art. 46 Sr ging, is hier naar mijn mening sprake van een aanzienlijke en principiële verruiming van de strafbaarheid. Eén van de belangrijkste inperkingen van de reikwijdte van het oorspronkelijke art. 46 Sr is hiermee geschrapt. Waar de strafbaarstel-ling aanvankelijk beperkt was tot *collectief* te begane misdrijven, is nu de *individuele* voor bereiding van zware misdrijven in algemene zin strafbaar geworden. De wijziging is bijzon-der summier gemotiveerd, waarbij geen enkele aandacht wordt besteed aan de principiële overwegingen op grond waarvan deze beperking in 1994 was aangebracht. Deze beperking hield verband met (kort samengevat) de moeilijke bewijsbaarheid van een eenmansactie, de veel kleinere mogelijkheid van vrijwillige terugtred en de verhoogde gevaarzetting als gevolg van de 'stuwkracht van het groepsproces'. De wetgever heeft op geen enkele wijze aannemelijk gemaakt dat een eenmansactie nu ineens wél bewijsbaar zou zijn, noch dat deze even gevaarzettend en strafwaardig zou zijn als collectieve voorbereiding.[417]
Overigens sluit het voorgaande uiteraard geenszins uit dat er wel degelijk zwaarwegende argumenten zouden kunnen zijn op grond waarvan ook de individuele voorbereiding in algemene zin strafwaardig moet worden geacht. Dergelijke argumenten zijn door de wet-

---

412 Zie hoofdstuk 3, § 4 en § 5.
413 Vgl. HR 18 november 2003, *LJN* AJ0535 (Ford Transit I).
414 Zie hoofdstuk 3, § 7.
415 Prakken & Roef 2004, p. 265.
416 Wet van 20 december 2001, *Stb.* 2001, 675, in werking getreden op 1 januari 2002. Bij deze wet werd eveneens een vijfde lid aan art. 46 Sr toegevoegd, dat bepaalt dat onder voorwerpen alle zaken en vermogensrechten worden verstaan; zie hoofdstuk 3, § 4 en § 7.8.
417 Zie verder hoofdstuk 3, § 6.

gever echter niet aangevoerd.[418] Keulen heeft in dit verband terecht opgemerkt dat in de casus van Samir A. geen (succesvolle) strafvervolging mogelijk zou zijn geweest zonder de hier bedoelde verruiming. Deze zaak illustreert volgens Keulen de strafwaardigheid van de voorbereiding van een individueel te begaan ernstig misdrijf.[419] Daar staat tegenover dat de individuele voorbereiding van een (ernstig) terroristisch misdrijf thans ook op grond van art. 96 lid 2 Sr kan worden vervolgd.[420] Het bereik van deze bepaling is inmiddels immers uitgebreid tot alle terroristische misdrijven die met een levenslange gevangenisstraf worden bedreigd.[421]

Vervolgens is in 2007 ook de term 'kennelijk' komen te vervallen.[422] Op het eerste gezicht lijkt deze wetswijziging te leiden tot een verdere 'subjectivering' van het leerstuk van de strafbare voorbereiding.[423] De wetsgeschiedenis kan in dit verband innerlijk tegenstrijdig en verwarrend worden genoemd. Enerzijds wordt in de memorie van toelichting uitdrukkelijk gesteld dat de 'subjectieve bestemming' (het opzet van de dader) voortaan toereikend is voor strafbaarheid. Anderzijds komen in de (latere) kamerstukken ook meer objectieve criteria voorbij, zoals de eis dat sprake moet zijn van 'daadwerkelijke voorbereiding'. Bovendien wordt in de wetsgeschiedenis op verschillende plaatsen opgemerkt dat met de wetswijziging een verduidelijking is beoogd van het geldende recht, niet een (wezenlijke) aanpassing van de reikwijdte van het artikel. Een uitleg waarin de subjectieve bestemming 'toereikend' is, is echter in elk geval niet in overeenstemming met de jurisprudentie en literatuur over art. 46 (oud) Sr. Dit alles komt de grotere duidelijkheid die met de wetswijziging wordt nagestreefd uiteraard niet ten goede.[424]
In het voorgaande is gepleit voor een interpretatie waarin het schrappen van het begrip 'kennelijk' niet leidt tot een 'subjectivering' van art. 46 Sr en dus evenmin tot een verruiming van de aansprakelijkheid. Deze wetswijziging laat naar mijn mening onverlet dat sprake moet zijn van *daadwerkelijke voorbereiding* van een bepaald misdrijf. Ter ondersteuning van dit standpunt is gewezen op de ratio van de strafbaarstelling van voorbereidingshandelingen (reële, objectieve gevaarzetting) en op de tekst van art. 46 Sr, waarin immers met zoveel woorden de 'voorbereiding' van bepaalde misdrijven strafbaar is gesteld. Nu volgens de wetsgeschiedenis slechts een verduidelijking is beoogd van het geldende recht, kan de rechtspraak van de Hoge Raad met betrekking tot het begrip 'kennelijk' in art. 46 (oud) Sr een rol blijven vervullen bij de invulling van het criterium van daadwerkelijke voorbereiding.[425] Dat wil zeggen dat voor de beantwoording van de vraag of sprake is van daadwerkelijke voorbereiding doorslaggevend blijft of de voorbereidingsmiddelen naar hun uiterlijke verschijningsvorm dienstig konden zijn voor het misdadige doel dat

---

418 Voor de *specifieke* situatie waarin iemand geld voorhanden heeft dat is bestemd voor het plegen van een terroristische aanslag geldt de strafbaarstellingsverplichting van het Verdrag ter bestrijding van de financiering van terrorisme (zie hoofdstuk 3, § 6.2 en § 7.8). Dat rechtvaardigt echter nog niet een *algemene* strafbaarstelling van individuele voorbereiding.
419 Keulen 2009a, p. 47 (voetnoot 10), p. 51 en p. 70.
420 Vgl. Rb. Rotterdam 25 maart 2008, *LJN* BC7531 (Piranha II).
421 Zie daarover Lintz 2007, p. 211 e.v.; Keulen 2009a, p. 55 e.v.
422 Wet van 20 november 2006, *Stb.* 2006, 580, in werking getreden op 1 februari 2007.
423 Vgl. Rozemond 2007a, p. 1.
424 Zie hierover hoofdstuk 3, § 7.5.
425 Zie verder hoofdstuk 3, § 7.6 en § 7.8.

de verdachte met het gebruik van de voorwerpen voor ogen had.[426] In de recente (lagere) rechtspraak over het gewijzigde art. 46 Sr worden deze factoren in veel gevallen inderdaad (nog steeds) expliciet gehanteerd. Daarbij is echter nog geen eenduidige 'subjectiverende' of 'objectiverende' tendens waar te nemen. De cruciale vraag blijkt veelal te zijn of kan worden vastgesteld wat het specifieke misdadige doel was dat de daders voor ogen stond. Over het antwoord op de vraag *hoe* dat doel moet worden vastgesteld – objectief dan wel subjectief – biedt de jurisprudentie nog geen duidelijkheid.[427]

4 Een gematigd objectieve voorbereidingsleer

Het leerstuk van de strafbare voorbereiding speelde in de gepubliceerde rechtspraak tot voor kort (nog) niet een heel belangrijke rol. Dit beperkte praktische belang kan wellicht mede worden verklaard doordat verkeerde intenties en plannen moeilijk zijn vast te stellen. Meestal komen die plannen pas aan het licht als een delict is voltooid.[428] Voorbereidingshandelingen spelen zich veelal in het verborgene af.[429] In veel gevallen zal de inzet van heimelijke middelen (observatie, afluisteren, infiltratie) noodzakelijk zijn om de voorbereidingshandelingen te kunnen bewijzen. Daarbij zal men vaak afhankelijk zijn van voorafgaande criminele inlichtingen of min of meer toevallige aanwijzingen dat ergens iets op handen is.[430] Wat er van dit alles ook zij, op basis van de hoeveelheid gepubliceerde rechtspraak bestaat de indruk dat art. 46 Sr de laatste jaren steeds vaker wordt toegepast. Het lijkt er op dat het artikel zich een zelfstandige plaats heeft verworven als een 'normaal' onderdeel van het strafrechtelijk instrumentarium. Vaak gaat het daarbij om gevallen van 'vergevorderde' voorbereiding, die relatief dicht tegen de poging aan liggen (en die vaak ook primair als een poging ten laste zijn gelegd). In dergelijke gevallen spelen de bedoelde bewijsproblemen in mindere mate, aangezien de verkeerde intenties zich al hebben 'veruiterlijkt'.[431]

Vooral nu in het kader van de terrorismebestrijding de nadruk steeds meer op een preventieve toepassing van het strafrecht komt te liggen, kan men zich afvragen of een terughoudend gebruik van art. 46 Sr ook in de toekomst gegarandeerd is. De ratio en uitgangspunten van de wettelijke regeling, zoals die naar voren komen uit de eerder aangehaalde wetsgeschiedenis, duiden naar mijn mening op een restrictieve toepassing en interpretatie. De Hullu betoogt terecht dat 'grote woorden' als 'daadstrafrecht' en 'ideestrafrecht' moeten worden gerelativeerd en geen harde toetsingscriteria opleveren. De gedachte van een daadstrafrecht levert echter wel een argument op voor een restrictieve interpretatie en een terughoudend gebruik. Volgens De Hullu moet worden erkend en aanvaard dat de intentie bij voorbereiding centraal staat, omdat dat nu eenmaal hoort bij een strafbaarstelling van

---

426 Vgl. HR 20 februari 2007, *LJN* AZ0213 (Samir A.).

427 Zie hoofdstuk 3, § 7.7.

428 De Hullu 2009, p. 417.

429 Rozemond 2011, p. 132.

430 Prakken & Roef 2004, p. 262-264. Zie voor de rol van CIE-informatie (in een onderzoek naar de voorbereiding van een terroristische aanslag door IRA-aanhangers) bijv. Rb. Amsterdam 21 juli 2011, *LJN* BR4909.

431 Zie voor de recente gepubliceerde rechtspraak (de voetnoten bij) hoofdstuk 3, § 7.7 en § 7.8. De rechtspraak die aldaar in de hoofdtekst wordt behandeld is in dit opzicht niet representatief, nu het daar vooral gaat om de grensgevallen.

de voorbereidingsfase. De objectieve omstandigheden (de gedraging en de middelen) hebben maar een beperkte zelfstandige waarde. Daarom ziet De Hullu de grondige rechterlijke toetsing van de intentie om een specifiek misdrijf voor te bereiden als de belangrijkste waarborg voor een restrictieve toepassing.[432] Ook volgens andere auteurs ligt de begrenzing van de strafbaarheid – zeker na de eerder besproken wetswijzigingen – vooral in het opzetvereiste.[433]

In het voorgaande is de vraag opgeworpen of de nadruk aldus niet te veel op de subjectieve zijde van de voorbereiding komt te liggen. In de eerste plaats heeft de Hoge Raad inmiddels bepaald dat voorwaardelijk opzet hier volstaat, hetgeen niet onmiddellijk duidt op een erg 'restrictieve toepassing'.[434] In de tweede plaats zal het opzet in veel gevallen moeten worden afgeleid uit uiterlijk waarneembare gedragingen. In die situatie leiden een objectieve en een subjectieve benadering in wezen tot hetzelfde resultaat. Het valt echter niet uit te sluiten dat de verdachte in een concreet geval een bekennende verklaring aflegt ten aanzien van zijn intentie of dat hij zich over zijn plannen uitlaat in (afgeluisterde) gesprekken met derden.[435] Moet die *kenbare* intentie, in combinatie met bijvoorbeeld het voorhanden hebben van een op zichzelf onschuldig voorwerp, dan voldoende worden geacht voor strafbaarheid? Een dergelijke consequentie zou naar mijn mening onverenigbaar zijn met de ratio van de strafbaarstelling van voorbereiding (objectieve gevaarzetting) en met de bedoeling van de wetgever (alleen aansprakelijkheid als de intentie blijkt uit wederrechtelijke handelingen).[436] Daarom meen ik dat moet worden vastgehouden aan het vereiste van een 'veruiterlijkte intentie'.[437] Daarbij moet de objectivering (veruiterlijking) van de criminele intentie dan niet louter worden gezocht in bijvoorbeeld uitlatingen, maar zal de intentie moeten blijken uit objectieve omstandigheden.[438] Het misdadige doel dat de verdachte met het gebruik van de middelen voor ogen had moet met andere woorden *naar uiterlijke verschijningsvorm* worden beoordeeld.[439] In deze *gematigd objectieve* benadering[440] is de subjectieve bestemming van de voorbereidingsmiddelen (het opzet van de dader) niet toereikend voor strafbaarheid. Daarnaast zal moeten worden vastgesteld dat de verdachte met het middel daadwerkelijk een misdrijf heeft voorbereid.[441]

432 De Hullu 2009, p. 418.
433 Rozemond 2011, p. 181; Keulen 2009a, p. 48-51.
434 Zie HR 7 juli 2009, *LJN* BH9025, *NJ* 2009, 401 (Bestorming ADO-home) en daarover hoofdstuk 3, § 3.1.
435 Vgl. bijv. Rb. Haarlem 8 augustus 2011, *LJN* BT1656, waarin de verdachte tegenover de politie had verklaard dat hij van plan was om de Vomar te overvallen.
436 Zie verder hoofdstuk 3, § 3.
437 Zie ook de conclusie van A-G Machielse voor het Samir A.-arrest (HR 20 februari 2007, *LJN* AZ0213).
438 Vgl. Rozemond 2011, p. 139: 'Bepaalde voorwerpen worden volgens deze objectieve uitleg nog *geen* voorbereidingsmiddelen door de enkele bestemming daartoe of door een daarover gemaakte afspraak, ook al zou die bestemming kenbaar zijn doordat de verdachte zijn bestemming aan anderen meedeelt of dat anderen op de hoogte raken van gemaakte afspraken'.
439 Vgl. HR 20 februari 2007, *LJN* AZ0213 (Samir A.).
440 Men kan ook met Rozemond (2011, p. 140) spreken van een 'verenigingsleer'.
441 Zie hoofdstuk 3, § 7.

Literatuur

Van Bemmelen & Van Veen 2003
J.M. van Bemmelen & Th.W. van Veen, *Het materiële strafrecht* (Ons strafrecht 1), bewerkt door D.H. de Jong & G. Knigge, Deventer: Kluwer 2003

Borgers 2007
M.J. Borgers, *De vlucht naar voren* (oratie VU), Den Haag: BJu 2007

Buruma 2002
Y. Buruma, 'Kroniek van het strafrecht', *NJB* 2002, p. 1502

Buruma 2006
Y. Buruma, 'De gedraging als element van het strafbare feit', *DD* 2006, p. 806-819

Cleiren & Verpalen 2010
C.P.M. Cleiren, M.J.M. Verpalen (red.), *Tekst & Commentaar Strafrecht*, Deventer: Kluwer 2010

Dolman 2008
M.M. Dolman, 'Wie streeft, die sneeft', *DD* 2008, p. 416-443

Franken 2006
A.A. Franken, 'Casuïstiek en legaliteit in het materieel strafrecht', *DD* 2006, p. 949-958

Gritter & Sikkema 2006
E. Gritter & E. Sikkema, 'Bestemming onbekend. Strafbare voorbereiding (artikel 46 Sr) en wetsvoorstel 30 164', *DD* 2006, p. 277-302

Gritter & Sikkema 2008
E. Gritter & E. Sikkema, 'Subjectivering van het Nederlandse strafrecht?', *NJB* 2008, p. 99-100

De Hullu 2005
J. de Hullu, 'Een cumulatie van problematische onderwerpen bij strafbare voorbereiding', in: A.H.E.C. Jordaans e.a. (red.), *Praktisch strafrecht* (Reijntjes-bundel), Nijmegen: WLP 2005, p. 247-264

De Hullu 2009
J. de Hullu, *Materieel strafrecht*, Deventer: Kluwer 2009

Janssen 2006
S.L.J. Janssen, 'De strafbare intentie is bijna een feit', *NJB* 2006, p. 1005-1006

De Jong 1992
D.H. de Jong, 'Voorbereidingshandelingen in het algemeen deel: een slag in de lucht', *DD* 1992, p. 36-57

Kelk 2010
C. Kelk, *Studieboek materieel strafrecht*, Deventer: Kluwer 2010

Keulen 2009a
B.F. Keulen, 'Grenzen aan de strafbare voorbereiding', in: E. Gritter (red.), *Opstellen Materieel Strafrecht*, Nijmegen: Ars Aequi Libri 2009, p. 45-67

Keulen 2009b
B.F. Keulen, 'Over voetbal, voorbereiding en samenspanning', *NJB* 2009, p. 1897-1901

Kool 2010
R.S.B. Kool, 'Better safe, than sorry? Over de legitimiteit van strafbaarstelling van seksueel corrumperen van minderjarigen en grooming', *DD* 2010, p. 1264-1294

Lintz 2007
J.M. Lintz, *De plaats van de Wet terroristische misdrijven in het materiële strafrecht* (diss. Rotterdam), Nijmegen: WLP 2007

Mallens & Hornman 2010
B.M.E. Mallens & M.J. Hornman, 'Vrijwillige terugtred bij poging', *DD* 2010, p. 1224

Mols & Wöretshofer 1993
G.P.M.F. Mols & J. Wöretshofer, *Poging en voorbereidingshandelingen*, Nijmegen: Ars Aequi Libri 1993

Pelser 2004
C.M. Pelser, 'Samenspanning: over *overt act* en uiterlijke verschijningsvorm', in: M. Boone e.a. (red.), *Discretie in het strafrecht*, Den Haag: Boom Juridische uitgevers 2004, p. 175-194

Pompe 1959
W.P.J. Pompe, *Handboek van het Nederlandse strafrecht*, Zwolle: Tjeenk Willink 1959

Prakken 2004
T. Prakken, 'Naar een cyclopisch (straf)recht', *NJB* 2004, p. 2338-2344

Prakken & Roef 2004
T. Prakken & D. Roef, 'Strafbare voorbereiding in Nederland: juridische overkill', in: F. Verbruggen e.a., *Voorbereidingshandelingen in het strafrecht*, Nijmegen: Wolf Legal Publishers 2004, p. 210-269

Rapport 1988
Rapport van de werkgroep strafbaarstelling van voorbereidingshandelingen, 's-Gravenhage, 31 oktober 1988

Remmelink 1996
J. Remmelink, *Mr. D. Hazewinkel-Suringa's Inleiding tot de studie van het Nederlandse Strafrecht*, Deventer: Gouda Quint 1996

De Roos 2007
Th.A. de Roos, 'Samir A. – absoluut ondeugdelijke voorbereiding?', *AA* 2007, p. 691-695

Rozemond 2007a
N. Rozemond, 'De subjectivering van het Nederlandse strafrecht', *NJB* 2007, p. 2301-2305

Rozemond 2007b
K. Rozemond, 'De casuïstische grenzen van het materiële strafrecht', *DD* 2007, p. 465-495

Rozemond 2008
K. Rozemond, 'Hoe subjectief is "daadwerkelijke voorbereiding"? Naschrift', *NJB* 2008, p.100-101

Rozemond 2011
K. Rozemond, *De methode van het materiële strafrecht*, Nijmegen: Ars Aequi Libri 2011

Rutgers 1992
M. Rutgers, *Strafbaarstelling van voorbereidingshandelingen*, Arnhem: Gouda Quint 1992

Sliedregt 2005
E. van Sliedregt, 'Samir A. en strafbare voorbereiding', *NJB* 2005, p. 2371

Sliedregt 2010
E. van Sliedregt, 'Strafbare voorbereiding na Samir A. Daadwerkelijke voorbereiding?', *AA* 2010, p. 890-897

Smith 2003
P. Smith, *Strafbare voorbereiding* (diss. Groningen), Den Haag: Boom Juridische uitgevers 2003

Strijards 1995
G.A.M. Strijards, *Strafbare voorbereidingshandelingen*, Zwolle: W.E.J. Tjeenk Willink 1995

Verbruggen 2004
F. Verbruggen, 'Strafbare voorbereidingshandelingen in België: een autopsie zonder lijk', in: F. Verbruggen e.a., *Voorbereidingshandelingen in het strafrecht*, Nijmegen: Wolf Legal Publishers 2004, p. 9-208

Wolswijk 2001
H.D. Wolswijk, 'Duidelijkheid over poging tot uitlokking', *Advocatenblad* 2001, p. 701-703

Wolswijk 2007
H.D. Wolswijk, 'Enkele opmerkingen over vrijwillig terugtreden bij deelneming', in: B.F.
Keulen, G. Knigge, H.D. Wolswijk (red.), *Pet af* (De Jong-bundel), Nijmegen: Wolf Legal
Publishers 2007, p. 537-558

Jurisprudentie

HR 7 mei 1906, *W* 8372
HR 21 februari 1938, *NJ* 1938, 929
HR 8 september 1987, *NJ* 1988, 612 (Grenswisselkantoor-zaak)
HR 8 december 1992, *NJ* 1993, 321 (Videodozen-zaak)
HR 5 december 2000, *NJ* 2001, 139
HR 27 november 2001, *LJN* AD4484, *JOL* 2001, 719 (Juwelierszaak)
HR 17 september 2002, *NJ* 2002, 626 (Mombakkes)
HR 18 november 2003, *LJN* AJ0535 (Ford Transit I)
HR 18 november 2003, *LJN* AJ0517 (Ford Transit II)
HR 17 februari 2004, *NJ* 2004, 400, *LJN* AN9358 (Brief in jaszak)
HR 19 december 2006, *LJN* AZ2169, *NJ* 2007, 29 (Eemskanaal)
HR 20 februari 2007, *LJN* AZ0213 (Samir A.)
HR 11 december 2007, *LJN* BB6220, *NJ* 2008, 560
HR 10 februari 2009, *NJ* 2009, 346 (Woningoverval te Leer)
HR 7 juli 2009, *LJN* BH9025, *NJ* 2009, 401 (Bestorming ADO-home I)
HR 7 juli 2009, *LJN* BH9030 (Bestorming ADO-home II)
HR 26 oktober 2010, *NJ* 2010, 655
HR 5 april 2011, *LJN* BO6691
HR 12 april 2011, *LJN* BN4531

Gerechtshof Amsterdam 17 september 2007, *LJN* BB3756
Gerechtshof Amsterdam 7 oktober 2011, *LJN* BT7212
Gerechtshof 's-Gravenhage 18 november 2005, *LJN* AU6181, *NJ* 2006, 69
Gerechtshof 's-Gravenhage 3 november 2010, *LJN* BO7127
Gerechtshof 's-Hertogenbosch 25 maart 2010, *LJN* BL9914

Rb. Amsterdam 3 maart 2009, *LJN* BI0722
Rb. Amsterdam 19 maart 2009, *LJN* BH7560
Rb. Amsterdam 1 juni 2011, *LJN* BR0272
Rb. Amsterdam 21 juli 2011, *LJN* BR490
Rb. Dordrecht 2 oktober 2006, *LJN* AZ0036, AZ0038 en AZ0042
Rb. 's-Gravenhage 18 augustus 2006, *LJN* AY7243
Rb. 's-Gravenhage 9 februari 2007, *LJN* AZ8161
Rb. 's-Gravenhage 29 juni 2011, *LJN* BR0143
Rb. Haarlem 20 februari 2007, *LJN* AZ9164
Rb. Haarlem 4 februari 2010, *LJN* BL5765 en *LJN* BL5772 (COPEX)
Rb. Haarlem 23 september 2010, *LJN* BN8648
Rb. Haarlem 8 augustus 2011, *LJN* BT1656
Rb. Middelburg 21 mei 2010, *LJN* BM6806
Rb. Roermond 30 november 2010, *LJN* BO5393
Rb. Roermond 22 juni 2011, *LJN* BQ8878
Rb. Rotterdam 6 april 2005, *LJN* AT3315
Rb. Rotterdam 25 maart 2008, *LJN* BC7531 (Piranha II)
Rb. Rotterdam 12 april 2010, *LJN* BM0727
Rb. Utrecht 18 januari 2011, *LJN* BR0012